KB178006

편입수학만을 위한 스킬편입수학교재

편입수학
기초수학 및 미분학

skill-math

스킬편입수학
연구소

Copyright ⓒ 스킬편입수학. All rights Reserved.

*수체계

$$복소수 \begin{cases} 실수 \begin{cases} 유리수 \begin{cases} 정수 \begin{cases} 양의 정수(자연수) : 1,2,3,\cdots \\ 영 : 0 \\ 음의 정수 : -1,-2,-3\cdots \end{cases} \\ \\ 정수가 아닌 유리수 \begin{cases} 유환소수 : \pm\dfrac{1}{2}, \pm0.65 \\ \\ 순환소수 : \pm\dfrac{1}{3} \end{cases} \end{cases} \\ \\ 무리수(비순환 무한소수) : \pm\sqrt{2}, \pm\pi, \pm e \end{cases} \\ \\ 허수 : i\cdots \end{cases}$$

*지수법칙

$a > 0, b > 0$ 이고 m, n이 실수일 때

① $a^m \times a^n = a^{m+n}$ ② $\dfrac{a^m}{a^n} = a^{m-n}$ ③ $(a^m)^n = a^{mn}$ ④ $(ab)^m = a^m b^m$

1) $a \neq 0$이고 n이 자연수 일 때

$$a^0 = 1, \ a^{-n} = \frac{1}{a^n}$$

2) $a \neq 0$이고 m은 정수, n은 2 이상의 정수일 때

$$a^{\frac{m}{n}} = \sqrt[n]{a^m}, \ a^{\frac{1}{n}} = \sqrt[n]{a} \qquad\qquad \text{※} \ \sqrt{\square} = \square^{\frac{1}{2}}$$

*거듭제곱근

n이 2이상의 자연수일 때, n 제곱하여 실수 a가 되는 수 x를 a의 n제곱근이라 한다.

즉, $x^n = a$이다.

문제 1. 다음 식을 간단히 하시오.

① $27^{\frac{1}{3}}$ ② $(4x)^2 \cdot \sqrt[4]{x}$ ③ $\left(\dfrac{1}{4}\right)^{\frac{-1}{4}}$ ④ $\left(\sqrt{2}\right)^5$

Copyright ⓒ 스킬편입수학. *All rights Reserved.*

문제 2. $x > 0, y > 0$일 때, $2(x^3)^3 \times x^{-2} \times \sqrt{x^3} \times \dfrac{1}{2\sqrt[3]{x^2}}$ 을 간단히 하시오.

$Ans.\ x^{\frac{47}{6}}$

문제 3. $e^x = 2$ 일 때, $\dfrac{e^{3x} + e^{-3x}}{e^x + e^{-x}}$ 의 값은?

$Ans.\ 13/4$

문제 4. $3^{x+1} = 6$일 때, $\left(\dfrac{1}{27}\right)^{-x}$ 의 값을 구하시오.

$Ans.\ 8$

문제 5. $x^{\frac{1}{2}} + x^{-\frac{1}{2}} = 2$일 때, $x + x^{-1},\ x^2 + x^{-2}$의 값을 구하시오.

$Ans.\ 2,2$

스킬편입수학
Copyright ⓒ 스킬편입수학. All rights Reserved.

> **＊함수(function)**
>
> : 공집합이 아닌 두 집합 X, Y가 있어서 X의 각 원소에 Y의 원소가 하나씩 대응할 때
>
> 이 대응을 X에서 Y로의 **함수**라 하고, 문자 f를 이용하여 $f : X \to Y$로 나타낸다.
>
> 이때, 집합 X를 함수 f의 **정의역**이라 하고, 집합 Y를 함수 f의 **공역**이라 한다.
>
> 그리고 $f(x)$를 함수 f에 의한 x에서의 **함숫값**이라고 한다. 또한, $f(x)$에서 함숫값
>
> 전체의 집합을 **치역**이라 한다.

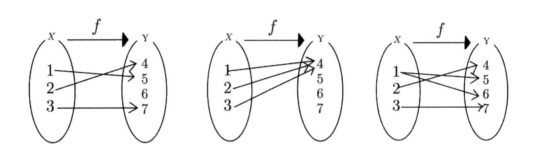

[16 이화여대]

문제1. 정의역이 실수전체의 집합일 때, 다음 중 y가 x의 함수가 되는 것은 모두 몇 개인가?

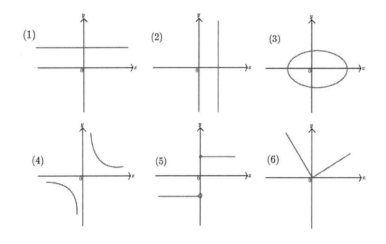

① 1 개   ② 2 개   ③ 3 개   ④ 4 개   ⑤ 5 개

---

*함수의종류

함수 $f : X \to Y$에서

1)**일대일 함수**(단사함수): $x_1 \neq x_2$ 일때 $f(x_1) \neq f(x_2)$인 함수

2)**전사함수**(위로의함수): 공역과 치역이 같은 함수

3)**일대일대응 함수**(전단사함수): 전사이면서 단사인 함수

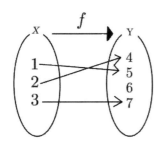 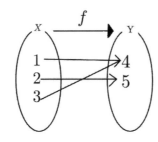 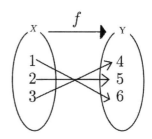

[16 광운대]

문제1. 함수 $g : \{0, 1, 2, \cdots, m\} \to \{5, 6, 7, \cdots, n\}$에 대한 다음 명제 중 옳은 것을 모두 고르면?
(단, m과 n은 자연수이다.)

ㄱ. $n > m$ 이다.

ㄴ. g는 위로의 함수이다.

ㄷ. g가 일대일함수가 되기 위한 필요조건은 $n \geq m + 5$ 이다.

① ㄱ   ② ㄴ   ③ ㄷ   ④ ㄱ,ㄴ   ⑤ ㄴ,ㄷ

Ans. ③

Copyright ⓒ 스킬편입수학. *All rights Reserved.*

1. 일차함수

*형태: $y = ax + b \, (a \neq 0)$, $a = $ 기울기 $\left(= \dfrac{y\text{의 증가량}}{x\text{의 증가량}} \right)$

① $a > 0$이면 x가 증가할 때 y도 증가한다. ⇒ 증가함수

② $a < 0$이면 x가 증가할 때 y는 감소한다. ⇒ 감소함수

③ $a = 0$이면 상수함수이다.

*그래프

① $y = x$

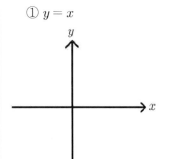

② $y = ax + b \, (a > 0)$

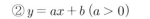
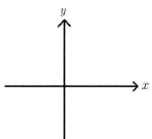

③ $y = ax + b \, (a < 0)$

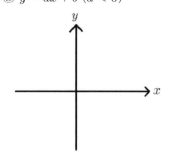

직선의 방정식

(1) 점 (a,b)을 지나고 기울기 m인 직선의 방정식 : $y - b = m(x - a)$

문제1. 점 $(3, -1)$을 지나고 기울기가 2인 직선

---

(2) 서로 다른 두 점 $(a,b), (c,d)$를 지나는 직선 : $y - b = \dfrac{d - b}{c - a}(x - a)$

문제2. 두 점 $(1,2), (3,4)$을 지나는 직선

---

*좌표평면 위의 두 점 $P(x_1, y_1), Q(x_2, y_2)$ 사이의 거리 $\overline{PQ} = \sqrt{(x_1 - x_2)^2 + (y_1 - y_2)^2}$

문제3. 점 $A(1, -1)$와 점 $B(3, 2)$ 사이의 거리를 구하라.

Ans. $\sqrt{13}$

Copyright ⓒ 스킬편입수학. *All rights Reserved.*

*역함수

함수 $f : X \rightarrow Y$가 일대일 대응일 때, 집합 Y의 각 원소 y에 $y = f(x)$인 집합 X의 원소 x를 대응시키는 함수를 f의 역함수라 하고, 기호로 f^{-1}과 같이 표현한다.

결국, $f^{-1} : Y \rightarrow X$ 또는 $x = f^{-1}(y)$

f^{-1}의 정의역 $= f$의 치역

f^{-1}의 치역 $= f$의 정의역

*역함수 구하는 방법

① 일대일 대응 확인   ② x와 y를 바꾼 후 y는 꼴로 변환

Copyright ⓒ 스킬편입수학. All rights Reserved.

[12아주대]

문제1. $f(x) = \dfrac{x-2}{3x+4}$ 의 역함수는?

① $f^{-1}(x) = \dfrac{-4x-2}{3x-1}$ ② $f^{-1}(x) = \dfrac{x-4}{3x+2}$ ③ $f^{-1}(x) = -\dfrac{x-2}{3x+4}$

④ $f^{-1}(x) = \dfrac{2x+3}{4x-1}$ ⑤ $f^{-1}(x) = -\dfrac{2x-1}{4x+3}$

Ans. ①

＊역함수의 성질

① $f(a) = b \Leftrightarrow a = f^{-1}(b)$

② $\left(f^{-1}\right)^{-1} = f$ (함수 f의 역함수의 역함수는 f)

③ $f^{-1} \circ f = f \circ f^{-1} = I$ (I는 항등함수)

④ $(g \circ f)^{-1} = f^{-1} \circ g^{-1}$

[14숙명여대]

문제1. 함수 $f(x) = \dfrac{ax+b}{cx+d}$ 가 모든 실수 x에 대하여 $f(f(x)) = x$일 때, a,b,c,d의 조건으로 맞는 것은?

① $ac = 1$ ② $a = c$ ③ $ad = bc$ ④ $b+c = 0$ ⑤ $a+d = 0$

Ans. ⑤

2. 이차함수

* 형태: $y = ax^2 + bx + c \ (a \neq 0)$

* 식의전개 및 인수분해
$(x+a)(x+b) = x^2 + (a+b)x + ab$

① $ax + bx = (a+b)x$
② $x^2 - a^2 = (x-a)(x+a)$
③ $(x+a)^2 = x^2 + 2ax + a^2$
④ $(x-a)^2 = x^2 - 2ax + a^2$

* 이차방정식의 근의 공식
$ax^2 + bx + c = 0$ 일 때, (단, $a \neq 0$) $x = \dfrac{-b \pm \sqrt{b^2 - 4ac}}{2a}$

문제1. 인수분해 하시오.

1) $x^2 + 4x + 4$

2) $4x^2 + 4x + 1$

3) $x^2 - 8x + 16$

4) $2x^2 - 6x + 3$

5) $4x^2 - 5x + 1$

6) $x^2 - 2^2$

문제2. 완전제곱식으로 고치시오.

1) $y = x^2 + 4x + 3$

2) $y = 2x^2 - 4x + 5$

스킬편입수학   Copyright ⓒ 스킬편입수학. *All rights Reserved.*

> * 이차방정식의 근과 계수와의 관계공식
>
> $ax^2 + bx + c = 0$, (단, $a \neq 0$)의 근이 α, β이면 $\alpha + \beta = -\dfrac{b}{a}$, $\alpha\beta = \dfrac{c}{a}$

문제3. $x^2 - 3x + 2 = 0$의 두근을 α, β라 할때 $\alpha + \beta$, $\alpha\beta$의 값을 구하라.

---

*그래프

① $y = x^2$ ② $y = a(x-m)^2 + n \ (a > 0)$ ③ $y = a(x-m)^2 + n \ (a < 0)$

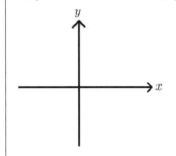   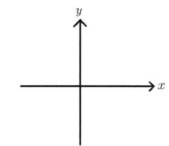   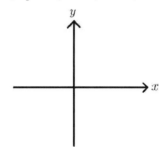

* 이차함수 그래프와 이차방정식 관계

	$D > 0$	$D = 0$	$D < 0$
$y = ax^2 + bx + c$의 그래프와 x축의 위치 관계	서로 다른 두 점에서 만난다.	한 점에서 만난다. (접한다.)	만나지 않는다.
$y = ax^2 + bx + c$ $(a > 0)$의 그래프			
$y = ax^2 + bx + c$ $(a < 0)$의 그래프			
교점의 개수	2	1	0

문제4. 다음 x의 2차 방정식의 근을 판별하여라.

(1) $3x^2 - 5x + 3 = 0$

(2) $2x^2 + 3x + 1 = 0$

---

*부등식의 성질

① $a < b, \, b < c \Leftrightarrow a < b < c$

② $a > b$이면 $a + c > b + c, \quad a - c > b - c$

③ $a > b, \, c > 0$이면 $ac > bc, \quad \dfrac{a}{c} > \dfrac{b}{c}$

④ $a > b, \, c < 0$이면 $ac < bc, \quad \dfrac{a}{c} < \dfrac{b}{c}$

⑤ 이차부등식에서 $a < b$일 때, $(x - a)(x - b) < 0 \Leftrightarrow a < x < b$

$\qquad\qquad\qquad\qquad\qquad (x - a)(x - b) > 0 \Leftrightarrow x < a \ \text{or} \ x > b$

따라서, $a > 0$일 때, $x^2 = a \Leftrightarrow (x - \sqrt{a})(x + \sqrt{a}) = 0$

$\qquad\qquad\qquad\quad x^2 < a \Leftrightarrow -\sqrt{a} < x < \sqrt{a}$

$\qquad\qquad\qquad\quad x^2 > a \Leftrightarrow x < -\sqrt{a} \ \text{or} \ x > \sqrt{a}$

문제5. 모든 실수 x에 대하여 $2x^2 + ax + 8 > 0$이 성립하는 a의 범위는?

Ans. $-8 < a < 8$

Copyright ⓒ 스킬편입수학. *All rights Reserved.*

3. 삼차함수

*형태: $y = ax^3 + bx^2 + cx + d\,(a \neq 0)$

*그래프

① $y = ax^3$

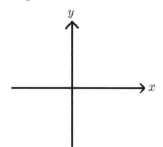

② $y = (x-1)(x+2)(x-3)$

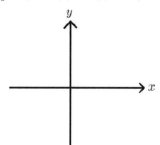

③ $y = (x-1)^2(x-3)$

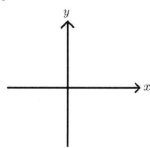

④ $y = 2x^2 - x^3$

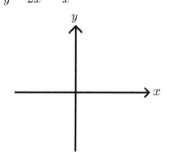

*인수분해 및 전개공식

$$(x+a)^3 = x^3 + 3x^2a + 3xa^2 + a^3$$
$$(x-a)^3 = x^3 - 3x^2a + 3xa^2 - a^3$$
$$x^3 - a^3 = (x-a)(x^2 + xa + a^2)$$
$$x^3 + a^3 = (x+a)(x^2 - xa + a^2)$$

문제1. 다음 식을 인수 분해하시오.

① $x^3 - 3x^2 + x + 5 = (x+1)(x^2 - 4x + 5)$

② $x^3 - x^2 + x - 1 = (x-1)(x^2 + 1)$

③ $x^3 - 4x^2 + x + 6 = (x+1)(x^2 - 5x + 6)$

Copyright ⓒ 스킬편입수학. *All rights Reserved.*

> ***3차 방정식의 근과 계수와의 관계**
>
> : 3차방정식 $ax^3 + bx^2 + cx + d = 0$의 세근을 α, β, γ라 할 때,
>
> $$\alpha + \beta + \gamma = -\frac{b}{a}, \quad \alpha\beta + \beta\gamma + \gamma\alpha = \frac{c}{a}, \quad \alpha\beta\gamma = -\frac{d}{a}$$

문제2. $x^3 - x^2 + 2x - 1 = 0$의 세근을 α, β, γ라 할 때, 세근의 합과 곱을 구하라.

[이화여대18]
문제3. 삼차방정식 $x^3 - 3x + 1 = 0$의 세근을 α, β, γ라 할 때,
$2\alpha^3 + 2\beta^3 + 2\gamma^3 - 8\alpha\beta\gamma$의 값을 구하시오.

① -4   ② -2   ③ 2   ④4   ⑤ 6

Ans. ③

> **4. 평행이동**
>
> x축 방향으로 a만큼, y축 방향으로 b만큼 평행이동
>
> ① 점의 이동 : $(x, y) \rightarrow (x+a, y+b)$
> ② 그래프의 이동 : $y = f(x) \rightarrow y - b = f(x-a)$

문제1. 다음 도형을 x축의 방향으로 3만큼, y축의 방향으로 -4만큼 평행이동한

도형의 방정식을 구하시오.

(1) $2x - 3y + 5 = 0$ (2) $x^2 + y^2 = 1$

Copyright ⓒ 스킬편입수학. *All rights Reserved.*

5. 점의 대칭이동

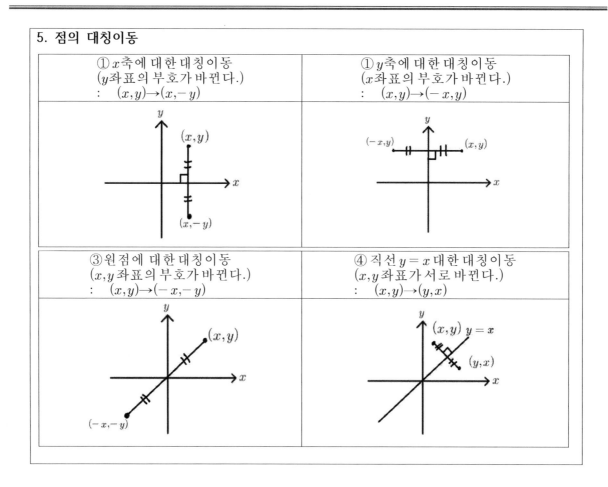

① x축에 대한 대칭이동
(y좌표의 부호가 바뀐다.)
: $(x,y) \to (x,-y)$

① y축에 대한 대칭이동
(x좌표의 부호가 바뀐다.)
: $(x,y) \to (-x,y)$

③ 원점에 대한 대칭이동
(x, y좌표의 부호가 바뀐다.)
: $(x,y) \to (-x,-y)$

④ 직선 $y=x$ 대한 대칭이동
(x, y좌표가 서로 바뀐다.)
: $(x,y) \to (y,x)$

문제1. 2차곡선 $y = x^2 - 2x + 5$을 x축, y축, 원점, $y=x$에 대해서 대칭이동 하시오.

Copyright ⓒ 스킬편입수학. *All rights Reserved.*

6. 유리함수

* $y = \dfrac{a}{x} \, (a \neq 0)$의 그래프

(1) 정의역과 치역은 0을 제외한 실수전체 집합

(2) 원점에 대하여 대칭

(3) 점근선은 x축, y축이다.

① $a > 0$이면 1,3사분면에 위치   ② $a < 0$이면 2,4사분면에 위치

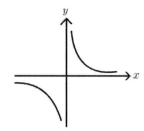 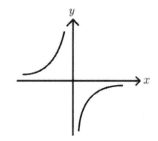

* $y = \dfrac{a}{x - p} + q \, (a \neq 0)$

(1) $y = \dfrac{a}{x}$의 그래프를 x축 방향으로 p, y축방향으로 q만큼 평행 이동한 그래프

(2) 정의역 : $x \neq p$인 모든 실수, 치역은 q을 제외한 실수 전체집합

(3) 점근선 : $x = p, \, y = q$

(4) 대칭점 : (p, q)

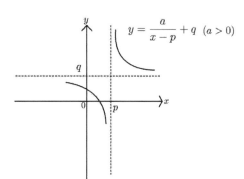

Copyright ⓒ스킬편입수학. *All rights Reserved.*

문제1. 다음 A, B, C를 구하여라.

(1) $\dfrac{2x+5}{x^2-3x+2} = \dfrac{A}{x-2} + \dfrac{B}{x-1}$

(2) $\dfrac{2x-1}{(x+1)(x-2)^2} = \dfrac{A}{x+1} + \dfrac{B}{x-2} + \dfrac{C}{(x-2)^2}$

(3) $\dfrac{3x-1}{(x-1)(x^2+9)} = \dfrac{A}{x-1} + \dfrac{Bx+C}{x^2+9}$

[17 인하대]

문제2. 유리함수 $f(x) = \dfrac{3x-2}{x+1}$의 그래프는 점(a, b)에 대하여 대칭이다. 이때, $a+b$의 값은?

ⓐ 0   ⓑ 1   ⓒ 2   ⓓ 3   ⓔ 4

Ans. ⓒ

5. 무리함수

한수 $y = f(x)$에 대하여 $f(x)$가 x에 대한 무리식일 때, 이 함수를 **무리함수**라 한다.
정의역은 근호 안이 0이상인 모든 실수이다.

① $y = \sqrt{ax} \ (a \neq 0)$의 그래프

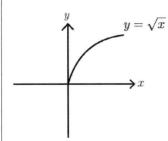

② $y = \sqrt{ax} \ (a \neq 0)$의 그래프

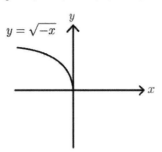

③ $y = -\sqrt{ax} \ (a \neq 0)$의 그래프

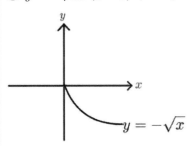

④ $y = -\sqrt{ax} \ (a \neq 0)$의 그래프

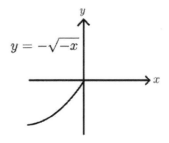

⑤ $y = \sqrt{ax} \ (a \neq 0)$의 그래프를 x축의 방향으로 p만큼, y축의 방향으로 q만큼 평행이동

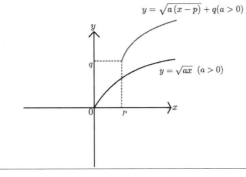

[97 인하대]

문제1. $f(x) = \dfrac{\sqrt{1-x^2}}{x-1}$ 일 때, f의 정의역은?

① $-1 \leq x < 2$ ② $-1 < x < 1$ ③ $-1 < x \leq 1$ ④ $-1 \leq x < 1$

Ans. ④

[17 숙명여대]

문제2. 함수 $f(x) = \sin^{-1}\left(\dfrac{x-1}{x+1}\right)(x \geq 0)$와 함수 $g(x) = 2\tan^{-1}\sqrt{x}\ (x \geq 0)$에 대하여 $g(x) - f(x)$와 같은 것은?

① $-\dfrac{\pi(x-1)}{2(x+1)}$ ② $-\dfrac{\pi(x+1)}{2(x-1)}$ ③ $\dfrac{\pi}{2}$ ④ $-\dfrac{\pi(x-1)^2}{2(x+1)^2}$ ⑤ $-\dfrac{\pi(x+1)^2}{2(x-1)^2}$

Ans. ③

---

6. 삼각 함수

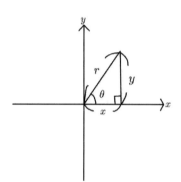

1) $\sin\theta = \dfrac{y}{r} = \dfrac{높이}{빗변}$

2) $\cos\theta = \dfrac{x}{r} = \dfrac{밑변}{빗변}$

3) $\tan\theta = \dfrac{y}{x} = \dfrac{\sin\theta}{\cos\theta} = \dfrac{높이}{밑변}$

4) $\cot\theta = \dfrac{x}{y} = \dfrac{1}{\tan\theta} = \dfrac{\cos\theta}{\sin\theta}$

5) $\sec\theta = \dfrac{r}{x} = \dfrac{1}{\cos\theta}$

6) $\csc\theta = \dfrac{r}{y} = \dfrac{1}{\sin\theta}$ (단, $r = \sqrt{x^2 + y^2}$)

7) $\sin^2 x + \cos^2 x = 1$

8) $1 + \tan^2 x = \sec^2 x$

9) $1 + \cot^2 x = \csc^2 x$

[12아주대]

문제1. $\sin x = \dfrac{3}{5}$일 때, $\tan x + \cos x$의 값은?

① $\dfrac{29}{15}$ ② $\dfrac{31}{15}$ ③ $\dfrac{16}{15}$ ④ $\dfrac{29}{20}$ ⑤ $\dfrac{31}{20}$

*Ans.*⑤

Copyright ⓒ 스킬편입수학. All rights Reserved.

1) $y = sinx$의 그래프

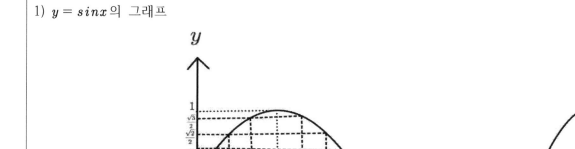

① 정의역 : $-\infty < x < \infty$
② 치 역 : $-1 \le y \le 1$
③ 주기 : 2π
④ 기함수(원점대칭) : $(x, y) \rightarrow (-x, -y), f(x) = -f(-x)$

$$360° = 2\pi, \quad 180° = \pi, \quad 90° = \frac{\pi}{2}, \quad 60° = \frac{\pi}{3}, \quad 45° = \frac{\pi}{4}, \quad 30° = \frac{\pi}{6}$$

2) $y = cosx$의 그래프

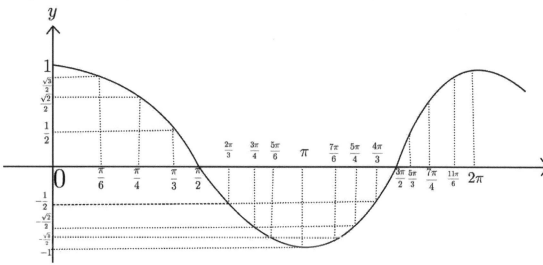

① 정의역 : $-\infty < x < \infty$

② 치 역 : $-1 \le y \le 1$

③ 주기 : 2π

④ 우함수(y축대칭): $(x, y) \rightarrow (-x, y), f(x) = f(-x)$

3) $y = \tan x$의 그래프

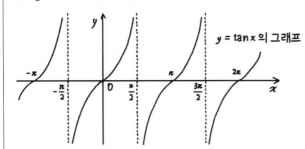

①정의역 : $\left(\dfrac{2n+1}{2}\right)\pi$가 아닌 모든 실수 ($n$은 정수)

②치역 : 모든 실수

③주기 : π

④기함수 (원점대칭) : $(x, y) \to (-x, -y)$, $f(x) = -f(-x)$

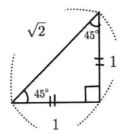

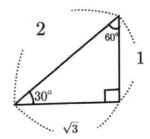

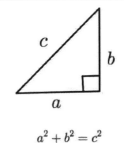

$a^2 + b^2 = c^2$

* 삼각함수의 특수각

θ	0	$\dfrac{\pi}{6}$	$\dfrac{\pi}{4}$	$\dfrac{\pi}{3}$	$\dfrac{\pi}{2}$
$\sin\theta$	0	$\dfrac{1}{2}$	$\dfrac{\sqrt{2}}{2}$	$\dfrac{\sqrt{3}}{2}$	1
$\cos\theta$	1	$\dfrac{\sqrt{3}}{2}$	$\dfrac{\sqrt{2}}{2}$	$\dfrac{1}{2}$	0
$\tan\theta$	0	$\dfrac{1}{\sqrt{3}}$	1	$\sqrt{3}$	∞

Copyright ⓒ 스킬편입수학. All rights Reserved.

＊삼각함수의 $90°$ 법칙

형태: $\dfrac{\pi}{2}n \pm \theta$

1) 삼각함수의 부호

2) ㉠ n(짝수) : 그대로
   ㉡ n(홀수) : $\sin \leftrightarrow \cos,\ \tan \leftrightarrow \cot$

문제. 1. $\sin 120°$

2. $\cos 210°$

3. $\cos \dfrac{2\pi}{3} = \dfrac{-1}{2}$

4. $\sin \dfrac{5\pi}{6} = \dfrac{1}{2}$

5. $\sec 150° = \dfrac{-2\sqrt{3}}{3}$

[07 인하대]

문제6. 다음 중 $\sin x$와 같이 일치하는 함수는?

① $\sin(-x)$ ② $\sin\left(x + \dfrac{\pi}{2}\right)$ ③ $\sin(x + \pi)$ ④ $\sin(\pi - x)$

Ans. ④

Copyright ⓒ 스킬편입수학. All rights Reserved.

＊삼각함수의 덧셈정리

1) $\sin(A \pm B) = \sin A \cos B \pm \cos A \sin B$
2) $\cos(A \pm B) = \cos A \cos B \mp \sin A \sin B$
3) $\tan(A \pm B) = \dfrac{\tan A \pm \tan B}{1 \mp \tan A \tan B}$

문제. $\tan\dfrac{\alpha}{2} = t$일 때, $\sin\alpha$를 t의 함수로 나타내면?

$Ans. \dfrac{2t}{t^2 + 1}$

삼각함수의 2배각공식	삼각함수의 반각공식
1) $\sin 2x = 2\sin x \cos x$	1) $\sin^2\dfrac{x}{2} = \dfrac{1 - \cos x}{2}, \ \sin^2 x = \dfrac{1 - \cos 2x}{2}$
2) $\cos 2x = \cos^2 x - \sin^2 x$ $= 1 - 2\sin^2 x = 2\cos^2 x - 1$	2) $\cos^2\dfrac{x}{2} = \dfrac{1 + \cos x}{2}, \ \cos^2 x = \dfrac{1 + \cos 2x}{2}$
3) $\tan 2x = \dfrac{2\tan x}{1 - \tan^2 x}$	

＊삼각함수 합·차·곱의 공식

1) $\sin A \cos B = \dfrac{1}{2}(\sin(A+B) + \sin(A-B))$

2) $\sin A \sin B = -\dfrac{1}{2}(\cos(A+B) - \cos(A-B))$

3) $\cos A \cos B = \dfrac{1}{2}(\cos(A+B) + \cos(A-B))$

＊음각의 삼각함수

1) $\sin(-A) = -\sin A$

2) $\cos(-A) = \cos A$

3) $\tan(-A) = -\tan A$

4) $\cot(-A) = -\cot A$

5) $\sec(-A) = \sec A$

6) $\csc(-A) = -\csc A$

＊ 역삼각함수사이의 관계식

1) $\sin^{-1}A + \cos^{-1}A = \dfrac{\pi}{2}$

2) $\tan^{-1}A + \cot^{-1}A = \dfrac{\pi}{2}$

3) $\sec^{-1}A + \csc^{-1}A = \dfrac{\pi}{2}$

4) $\tan^{-1}\dfrac{1}{2} + \tan^{-1}\dfrac{1}{3} = \dfrac{\pi}{4}$

5) $\cos^{-1}A + \cos^{-1}(-A) = \pi$

＊삼각함수 합성

$$: a\sin\theta + b\cos\theta = \sqrt{a^2+b^2}\left(\frac{a}{\sqrt{a^2+b^2}}\sin\theta + \frac{b}{\sqrt{a^2+b^2}}\cos\theta\right)$$

$$= \sqrt{a^2+b^2}(\cos\alpha\sin\theta + \sin\alpha\cos\theta)$$

$$= \sqrt{a^2+b^2}\sin(\theta+\alpha) \qquad \left(단, \cos\alpha = \frac{a}{\sqrt{a^2+b^2}}, \sin\alpha = \frac{b}{\sqrt{a^2+b^2}}\right)$$

결론 : $a\sin\theta + b\cos\theta$의 $\begin{cases} 최댓값 : +\sqrt{a^2+b^2} \\ 최솟값 : -\sqrt{a^2+b^2} \end{cases}$

[17 이화여대]

문제1. $[0, 2\pi]$ 사이의 각 θ에 대해 $\sin\theta + 2\cos\theta$의 최솟값을 m, 최댓값을 M이라 하자. mM의 값을 구하시오.

[03중앙대]

문제2. 함수 $f(x) = a\sin x + b\cos x$의 최댓값과 최솟값의 차이가 10이라 한다.

또한, $f\left(\dfrac{\pi}{4}\right) = \dfrac{7}{\sqrt{2}}$일 때, $|a-b|$의 값은?

① 0   ② 1   ③ 2   ④ 3

Ans. ②

Copyright ⓒ 스킬편입수학. All rights Reserved.

7. 지수함수

*형태 : $y = a^x (a > 0, a \neq 1)$
*성질:정의역은 실수전체, 치역은 양의 실수

그래프

① $a > 1$

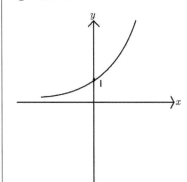

② $0 < a < 1$

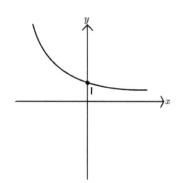

③ $y = e^x = \exp(x)$

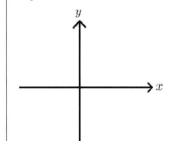

④ $y = e^{-x} = \exp(-x)$

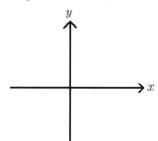

Copyright ⓒ 스킬편입수학. *All rights Reserved.*

8. 로그함수

$y = a^x \Leftrightarrow \log_a y = x$

* 형태 : $y = \log_a x$ ($a \neq 1, a > 0, a$는 밑이라 한다.)

　　　정의역은 $x > 0$, 치역은 실수전체

◆ **로그법칙**
($a > 0, a \neq 1, b > 0, M > 0, N > 0, a$를 밑, b를 진수)

1) $\log_a MN = \log_a M + \log_a N$

2) $\log_a \dfrac{M}{N} = \log_a M - \log_a N$

3) $\log_a M^n = n\log_a M$ ($n = $ 실수)
   $(\log_a M)^n \neq n\log_a M$

4) $\log_{a^n} M = \dfrac{1}{n}\log_a M$

5) $\log_a a = 1$

6) $\log_a 1 = 0$

7) $\log_a b = \dfrac{1}{\log_b a}$

8) $a^{\log_a M} = M$

*그래프
① $0 < a < 1$ ② $a > 1$

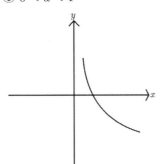
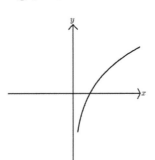

* **자연로그(밑이 e인 로그함수, $y = \log_e x = \log x = \ln x$)**

① $\ln MN = \ln M + \ln N$

② $\ln \dfrac{M}{N} = \ln M - \ln N$

③ $\ln 1 = 0$

④ $\ln M^n = n\ln M$ ($n = $ 실수)

⑤ $c^{\ln M} - M$

Copyright ⓒ스킬편입수학. *All rights Reserved.*

문제.

1. $\log_2 8 = \log_2 2^3 = 3$

2. $\log_2 (5 \times 3) = \log_2 5 + \log_2 3$

3. $\log_2 \left(\dfrac{3}{5}\right) = \log_2 3 - \log_2 5$

4. $\log_2 3 = \dfrac{1}{\log_3 2}$

5. $4^{\log_2 3} = 3^{\log_2 4}$

6. $\log_2 36 + 2\log_2 \dfrac{\sqrt{3}}{3} - \log_2 \dfrac{3}{2}$의 값은?
   $Ans. 3$

쌍곡선함수

(1) 쌍곡선함수의 정의

1) $\sinh x = \dfrac{e^x - e^{-x}}{2}$

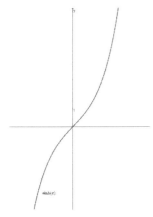

2) $\cosh x = \dfrac{e^x + e^{-x}}{2} \, (\geq 1)$

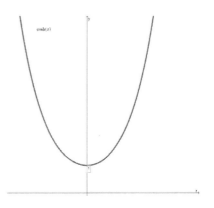

3) $\tanh x = \dfrac{e^x - e^{-x}}{e^x + e^{-x}} = \dfrac{\sinh x}{\cosh x} \, (< 1)$

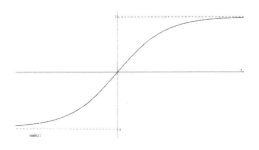

4) $\coth x = \dfrac{e^x + e^{-x}}{e^x - e^{-x}} = \dfrac{1}{\tanh x}$

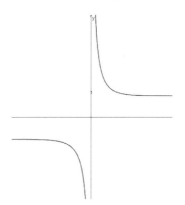

5) $\operatorname{sech} x = \dfrac{2}{e^x + e^{-x}} = \dfrac{1}{\cosh x}$

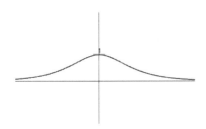

6) $\operatorname{csch} x = \dfrac{2}{e^x - e^{-x}} = \dfrac{1}{\sinh x}$

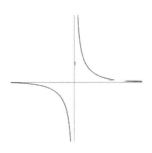

스킬편입수학 　　　　　　　　　　　　　　　　　　　　　　　*Copyright* ⓒ 스킬편입수학. *All rights Reserved.*

Q. $\ln(2\cosh x + 2\sinh x) + \ln(2\cosh x - 2\sinh x)$의 값은?

Ans. $2\ln 2$

(2) 쌍곡선함수의 배각공식

1) $\sinh 2A = 2\sinh A \cosh A$

2) $\cosh 2A = \cosh^2 A + \sinh^2 A$
   $\qquad = 2\cosh^2 A - 1 = 1 + 2\sinh^2 A$

3) $\tanh 2A = \dfrac{2\tanh A}{1 + \tanh^2 A}$

(3) 쌍곡선함수의 반각공식

1) $\sinh^2 \dfrac{A}{2} = \dfrac{\cosh A - 1}{2}, \sinh^2 A = \dfrac{\cosh 2A - 1}{2}$

2) $\cosh^2 \dfrac{A}{2} = \dfrac{\cosh A + 1}{2}, \cosh^2 A = \dfrac{\cosh 2A + 1}{2}$

3) $\tanh^2 \dfrac{A}{2} = \dfrac{\cosh A - 1}{\cosh A + 1}, \tanh^2 A = \dfrac{\cosh 2A - 1}{\cosh 2A + 1}$

(4) 쌍곡선함수 사이의 관계식

1) $-\sinh^2 x + \cosh^2 x = 1$

2) $1 - \tanh^2 x = \operatorname{sech}^2 x$

3) $1 - \coth^2 x = -\operatorname{csch}^2 x$

(5) 쌍곡선함수의 가법공식

1) $\sinh(A \pm B) = \sinh A \cosh B \pm \cosh A \sinh B$

2) $\cosh(A \pm B) = \cosh A \cosh B \pm \sinh A \sinh B$

3) $\tanh(A \pm B) = \dfrac{\tanh A \pm \tanh B}{1 \pm \tanh A \tanh B}$

Q. $\tanh(x) = \dfrac{1}{2}$, $\tanh(y) = -\dfrac{1}{2}$, 일 때, $\tanh(x-y)$는?

Ans. $\dfrac{4}{5}$

Copyright ⓒ 스킬편입수학. All rights Reserved.

(6) 역쌍곡선 함수

1) $\sinh^{-1}A = \ln\left(A + \sqrt{A^2+1}\right), (-\infty < A < \infty)$

2) $\cosh^{-1}A = \ln\left(A + \sqrt{A^2-1}\right), (A \geq 1)$

3) $\tanh^{-1}A = \dfrac{1}{2}\ln\left(\dfrac{1+A}{1-A}\right), (-1 < A < 1)$

4) $\coth^{-1}A = \dfrac{1}{2}\ln\left(\dfrac{A+1}{A-1}\right), (A > 1 \text{ or } A < -1)$

5) $\operatorname{sech}^{-1}A = \ln\left(\dfrac{1}{A} + \sqrt{\dfrac{1}{A^2}-1}\right), (0 < A \leq 1)$

6) $\operatorname{csch}^{-1}A = \ln\left(\dfrac{1}{A} + \sqrt{\dfrac{1}{A^2}+1}\right), (A \neq 0)$

$Q.$ $\sinh^{-1}\dfrac{1}{\sqrt{3}}$의 값과 같은 것은?

① $\ln\sqrt{2}$ ② $\ln 2$ ③ $\ln\sqrt{3}$ ④ $\ln 3$

$Ans.$ ③

◆ 다항식의 전개공식

1) $(x+y+z)^2 = x^2 + y^2 + z^2 + 2xy + 2yz + 2xz$

2) $(x+y+z)(x^2+y^2+z^2-xy-yz-xz) = x^3 + y^3 + z^3 - 3xyz$

3) $(x^2+xy+y^2)(x^2-xy+y^2) = x^4 + x^2y^2 + y^4$

Copyright ⓒ 스킬편입수학. All rights Reserved.

*역삼각함수의 성질

> 1) $y = \sin^{-1}x$의 ① 정의역 : $-1 \leq x \leq 1$
> ② 치 역 : $-\dfrac{\pi}{2} \leq y \leq \dfrac{\pi}{2}$
> ③ 기함수

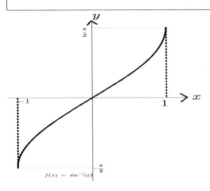

> 2) $y = \cos^{-1}x$의 ① 정의역 : $-1 \leq x \leq 1$
> ② 치 역 : $0 \leq y \leq \pi$
> ③ 우,기함수 둘다 아님

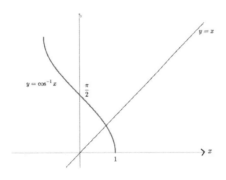

> 3) $y = \tan^{-1}x$의 ① 정의역 : 실수전체
> ② 치 역 : $-\dfrac{\pi}{2} < y < \dfrac{\pi}{2}$
> ③ 기함수

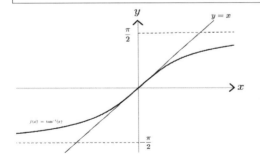

Copyright ⓒ 스킬편입수학. All rights Reserved.

*역삼각함수공식

① $\sin^{-1}x + \cos^{-1}x = \dfrac{\pi}{2}$ $(-1 \le x \le 1)$

② $\tan^{-1}x + \cot^{-1}x = \dfrac{\pi}{2}$ $(-\infty < x < \infty)$

③ $\tan^{-1}x + \tan^{-1}\dfrac{1}{x} = \dfrac{\pi}{2}$ $(x > 0)$

④ $\tan^{-1}x + \tan^{-1}\dfrac{1}{x} = -\dfrac{\pi}{2}$ $(x < 0)$

⑤ $\cot^{-1}x + \cot^{-1}\dfrac{1}{x} = \dfrac{\pi}{2}$ $(x > 0)$

⑥ $\cot^{-1}x + \cot^{-1}\dfrac{1}{x} = \dfrac{3\pi}{2}$ $(x < 0)$

⑦ $\cos^{-1}(x) + \cos^{-1}(-x) = \pi$ $(-1 \le x \le 1)$

Q. 다음 중 옳지 않은 것은?

① $\sin^{-1}(-x) = -\sin^{-1}x$
② $\tan^{-1}(-x) = -\tan^{-1}x$
③ $\cos^{-1}(-x) = \pi + \cos^{-1}x$
④ $\cos^{-1}x = \dfrac{\pi}{2} - \sin^{-1}x$

Ans. ③

Q. $\cos\left[2\left(\cos^{-1}\dfrac{4}{5}\right)\right] - \sin\left(\cos^{-1}\dfrac{4}{5}\right)$의 값은?

Ans. $-\dfrac{8}{25}$

Q. $\sin\left[\sin^{-1}\dfrac{1}{3} + \sin^{-1}\dfrac{2}{3}\right]$의 값은?

Ans. $\dfrac{\sqrt{5} + 4\sqrt{2}}{9}$

Copyright ⓒ 스킬편입수학. *All rights Reserved.*

◆ 미분(접선의 기울기, 도함수)

1) $\dfrac{dy}{dx} = \lim\limits_{h \to 0} \dfrac{f(x+h) - f(x)}{h} = f'(x) = y'$

2) $\dfrac{d}{dx}\left(\dfrac{dy}{dx}\right) = \dfrac{d^2 y}{dx^2} = f''(x) = y''$

3) $\dfrac{d}{dx}\left(\dfrac{d^2 y}{dx^2}\right) = \dfrac{d^3 y}{dx^3} = f'''(x) = y'''$

$\vdots$ $\qquad\qquad$ $\vdots$ $\qquad$ $\vdots$

4) $\dfrac{d}{dx}\left(\dfrac{d^{n-1} y}{dx^{n-1}}\right) = f^{(n)}(x) = y^{(n)}$

---

*미분공식

1) $\dfrac{d}{dx}c = 0$ (단, c는 상수)

2) $\dfrac{d}{dx}(cx) = c$

3) $\dfrac{d}{dx}(cx^n) = c \cdot nx^{n-1}$

4) $\dfrac{d}{dx}\{f(x) \pm g(x) \pm h(x) \pm \cdots\} = \dfrac{df}{dx} \pm \dfrac{dg}{dx} \pm \dfrac{dh}{dx} \pm \cdots$

5) $\dfrac{d}{dx}(e^x) = e^x$

6) $\dfrac{d}{dx}(a^x) = a^x \ln a$

7) $\dfrac{d}{dx}\ln|x| = \dfrac{1}{x}$

8) $\dfrac{d}{dx}(\log_a x) = \dfrac{1}{x \ln a}$

9) $\dfrac{d}{dx}\left(\dfrac{1}{x}\right) = -\dfrac{1}{x^2}$

10) $\dfrac{d}{dx}(\sqrt{x}) = \dfrac{1}{2\sqrt{x}}$

11) $\dfrac{d}{dx}(\sin x) = \cos x$

12) $\dfrac{d}{dx}(\cos x) = -\sin x$

13) $\dfrac{d}{dx}(\tan x) = \sec^2 x$

14) $\dfrac{d}{dx}(\csc x) = -\csc x \cdot \cot x$

15) $\dfrac{d}{dx}(\sec x) = \sec x \cdot \tan x$

16) $\dfrac{d}{dx}(\cot x) = -\csc^2 x$

17) $\dfrac{d}{dx}(\sin^{-1} x) = \dfrac{1}{\sqrt{1-x^2}}$

18) $\dfrac{d}{dx}(\cos^{-1} x) = \dfrac{-1}{\sqrt{1-x^2}}$

19) $\dfrac{d}{dx}(\tan^{-1} x) = \dfrac{1}{1+x^2}$

20) $\dfrac{d}{dx}(\csc^{-1} x) = \dfrac{-1}{|x|\sqrt{x^2-1}}$

21) $\dfrac{d}{dx}(\sec^{-1} x) = \dfrac{1}{|x|\sqrt{x^2-1}}$

22) $\dfrac{d}{dx}(\cot^{-1} x) = \dfrac{-1}{1+x^2}$

23) $\dfrac{d}{dx}(\sinh x) = \cosh x$

24) $\dfrac{d}{dx}(\cosh x) = \sinh x$

25) $\dfrac{d}{dx}(\tanh x) = \operatorname{sech}^2 x$

26) $\dfrac{d}{dx}(\operatorname{csch} x) = -\operatorname{csch} x \cdot \coth x$

27) $\dfrac{d}{dx}(\operatorname{sech} x) = -\operatorname{sech} x \cdot \tanh x$

28) $\dfrac{d}{dx}(\coth x) = -\operatorname{csch}^2 x$

29) $\dfrac{d}{dx}(\sinh^{-1} x) = \dfrac{1}{\sqrt{1+x^2}}$

30) $\dfrac{d}{dx}(\cosh^{-1} x) = \dfrac{1}{\sqrt{x^2-1}}$

31) $\dfrac{d}{dx}(\tanh^{-1} x) = \dfrac{1}{1-x^2} \ (|x| < 1)$

32) $\dfrac{d}{dx}(\operatorname{csch}^{-1} x) = \dfrac{-1}{x\sqrt{1+x^2}}$

33) $\dfrac{d}{dx}(\operatorname{sech}^{-1} x) = \dfrac{-1}{x\sqrt{1-x^2}}$

34) $\dfrac{d}{dx}(\coth^{-1} x) = \dfrac{1}{1-x^2} \ (|x| > 1)$

Copyright ⓒ 스킬편입수학. All rights Reserved.

미분공식

$y = 상수 \to y' = 0$

$y = f(x) \pm g(x) \to y' = f'(x) \pm g'(x)$

$y = cf(x) \to y' = cf'(x)$

$y = x^n \to y' = nx^{n-1}$ $\Rightarrow \left(\stackrel{\star}{}{}^n\right)' = n\left(\stackrel{\star}{}{}^{n-1}\right)\stackrel{\star}{}{}'$

$y = f(x)g(x) \to y' = f'(x)g(x) + f(x)g'(x)$ $\Rightarrow (\square \cdot \star)' = \square'\star + \square\star'$

$y = \dfrac{g(x)}{f(x)} \to y' = \dfrac{g'(x)f(x) - g(x)f'(x)}{(f(x))^2}$ $(단, f(x) \neq 0) \Rightarrow \left\{\dfrac{\square}{\star}\right\}' = \dfrac{\square'\star - \square\star'}{\star^2}$

*주요미분공식

① $\left(\sqrt{x}\right)' = \dfrac{1}{2\sqrt{x}} \Rightarrow \left(\sqrt{\star}\right)' = \dfrac{\star'}{2\sqrt{\star}}$

② $\left(\dfrac{1}{x}\right)' = -\dfrac{1}{x^2} \Rightarrow \left(\dfrac{1}{\star}\right)' = -\dfrac{\star'}{\star^2}$

③ $\{f(\star)\}' = f'(\star) \cdot \star'$

④ $\left(e^{\star}\right)' = e^{\star} \cdot \star'$

<합성함수의 미분 >

$y = f(x) , \ y = g(x)$

$\to y = (f \circ g)(x) = f(g(x))$

$\to \ y = f(t) \qquad t = g(x)$

$\dfrac{dy}{dx} = \dfrac{dy}{dt} \cdot \dfrac{dt}{dx} = f'(g(x))g'(x)$

Copyright ⓒ 스킬편입수학. *All rights Reserved.*

미분하시오.

1) $y = \sin(x^2)$

2) $f(x) = \sinh(\ln x)$

3) $y = \tan^{-1}\dfrac{1}{x}$

4) $y = \sin^{-1}(\sqrt{x})$

5) $f(x) = 3xe^{2x}$에 대하여 $f'(x)$에 구하면?

$Ans.\ 3e^{2x} + 6xe^{2x}$

6) $\dfrac{d}{dx}\left(\dfrac{1-\sec x}{\tan x}\right)\Big|_{\frac{\pi}{4}}$ 의 값은?

$Ans.\ -2 + \sqrt{2}$

Copyright ⓒ 스킬편입수하. *All rights Reserved.*

7) $y = e^{\sin x}$

8) $y = e^{\tan^{-1} x}$

9) $y = \exp(-x^2)$

10) $y = \ln(\sec x)$

11) $y = 2\tanh^{-1}(x^2 + 1)$

$Ans. \dfrac{-4}{x^3 + 2x}$

12) $y = \ln\left(\dfrac{1}{\sqrt{x}}\right)$

13) $y = \ln(\sec x + \tan x)$

14) $y = \ln(\sin^2 x)$

15) $y = \sinh(x^2 + 1)$

16) $y = (x^2 + 1)^{10}$

17) $y = \ln\left(x + \sqrt{x^2 + 4}\right)$

Copyrightⓒ스킬편입수학. *All rights Reserved.*

18) $y = x\sqrt{1-x^2} + \sin^{-1}x$일 때 y'을 구하면?

① $2\sqrt{1-x^2}$ ② $\dfrac{1}{\sin^{-1}x}$ ③ $\dfrac{\sqrt{1-x^2}}{\sin^{-1}x}$ ④ $\dfrac{1-\sin^{-1}x}{\sqrt{1-x^2}}$

*Ans.*①

19) $y = (\tan^{-1}x)^2$

20) $y = \sqrt{x^2+1}$

21) $x = -1$에서 $f(x) = \dfrac{1}{x}\tan^{-1}\left(\dfrac{1}{x}\right)$의 미분계수 $\dfrac{d}{dx}f(-1)$은?

Ans. $\dfrac{\pi}{4} + \dfrac{1}{2}$

Copyright ⓒ 스킬편입수학. All rights Reserved.

22) $y = \sqrt{x^2 + 6x + 3}$ 의 $x = 2$ 에서 접선의 기울기를 구하시오.

23) 모든 실수 $x > 1$에 대해서 $f'(x) = \dfrac{1}{(\ln x)^2}$ 이고, $f(e) = 1$, $g(x) = e^{f(x)}$ 일 때, $g'(e)$의 값은?

$Ans.\ e$

24) 다음 중 틀린 것은?

① $\dfrac{d}{dx}\left(\sqrt{f(x)}\right) = \dfrac{f'(x)}{2\sqrt{f(x)}}$ ② $\dfrac{d}{dx}f\left(\sqrt{x}\right) = \dfrac{f'(x)}{2\sqrt{x}}$

③ $\dfrac{d}{dx}f(g(x)) = f'(g(x))g'(x)$ ④ $\dfrac{d}{dx}(\tan^2 x) = \dfrac{d}{dx}(\sec^2 x)$

$Ans.\ ②$

15건대

25) $f(x) = \dfrac{\tan^4 x}{\sin^3 x \cos 3x}$ 일 때, $f'\left(\dfrac{\pi}{4}\right)$의 값은?

① -64 ② -32 ③ -8 ④ $8\sqrt{2}$ ⑤ 32

$Ans.\ ③$

Copyrightⓒ스킬편입수학. *All rights Reserved.*

> < 음함수의 미분 >
>
> $f(x,y) = 0$
>
> * 음함수의 미분 (편미분 이용) : $\dfrac{dy}{dx} = -\dfrac{f_x}{f_y}$

1) $x^2 + y^2 = 1$ 일때, $\dfrac{dy}{dx} = ?$

2) $x^4 - y^4 = 1$ 일때, $\dfrac{dy}{dx} = ?$

3) $x^2 + x^2 y^2 + y = 0$을 미분하시오.

4) $x^2 - xy + y^2 = 1$ 위의 점 $(0,1)$에서 접선의 기울기는?

18아주

5) 곡선 $y + 2\cosh(xy) - 2x\cos(x-1) = 0$위의 점 $(1,0)$에서의 접선의 기울기는?

① -4 ② -2 ③ 0 ④ 2 ⑤ 4

*Ans.*④

< 역함수의 미분 >

$$y = f^{-1}(x) \Leftrightarrow x = f(y) \ , \ \frac{dy}{dx} = \frac{1}{\dfrac{dx}{dy}}$$

1) $y = \sin^{-1}x$의 $\dfrac{dy}{dx} = ?$

2) $y = \tan^{-1}x$의 $\dfrac{dy}{dx} = ?$

18아주

3) 함수 $f(x) = 2e^{3x} + x$에 대하여 $(f^{-1})'(2)$의 값은?

① 1 ② $\dfrac{1}{2}$ ③ $\dfrac{1}{3}$ ④ $\dfrac{1}{6}$ ⑤ $\dfrac{1}{7}$

*Ans.*⑤

Copyright ⓒ 스킬편입수학. *All rights Reserved.*

4) $f(x) = \sqrt[3]{x+5}$ 일 때, $(f^{-1})'(2) = ?$

Ans. 12

5) $f(x) = x^5 + 3x^3 + 2x + 1$ 의 역함수 $f^{-1}(x)$에 대하여 $(f^{-1})'(1) = ?$

Ans. 1/2

6) $f(x) = \ln x + \tan^{-1} x$의 역함수 $g(x)$에 대해 $g'\left(\dfrac{\pi}{4}\right) = ?$

Ans. 2/3

숙대17

7) 함수 $f(x) = x^3 + x + 3 + \tan\left(\dfrac{\pi x}{2}\right)\,(-1 < x < 1)$ 에 대하여 $(f^{-1})'(3)$의 값은?

① $\dfrac{2}{2+\pi}$ ② $-\dfrac{2}{2+\pi}$ ③ $\dfrac{4}{4+\pi}$ ④ $\dfrac{-4}{4+\pi}$ ⑤ 1

Ans. ①

스킬편입수학   *Copyright ⓒ 스킬편입수학. All rights Reserved.*

8) 함수 f와 역함수 f^{-1}가 미분가능 한 함수이고, $f(0)=1, f(1)=0, f'(0)=2, f'(1)=3$ 일 때, $(f^{-1})'(0) + (f^{-1})'(1)$를 구하여라.

(단, $(f^{-1})'(c)$는 점 c에서 역함수 f^{-1}의 미분계수이다.)

① $\dfrac{1}{3}$ ② $\dfrac{5}{6}$ ③ 1 ④ 5 ⑤ 6

Ans. ②

9) 구간 $\left(-\dfrac{\pi}{2}, \dfrac{\pi}{2}\right)$에서 정의된 함수 $f(x) = \sin x$ 의 역함수를 $f^{-1}(x) = \sin^{-1} x$ 라 할 때, $\cos\left(2\sin^{-1}\left(\dfrac{2}{3}\right)\right)$ 의 값은?

① $\dfrac{1}{27}$ ② $\dfrac{1}{9}$ ③ $\dfrac{1}{3}$ ④ $\dfrac{4}{9}$ ⑤ $\dfrac{2}{3}$

Ans. ②

17숙대

10) 함수 $f(x) = \sin^{-1}\left(\dfrac{x-1}{x+1}\right)(x \geq 0)$와 함수 $g(x) = 2\tan^{-1}\sqrt{x} \ (x \geq 0)$에 대하여 $g(x) - f(x)$와 같은 것은?

① $-\dfrac{\pi(x-1)}{2(x+1)}$ ② $-\dfrac{\pi(x+1)}{2(x-1)}$ ③ $\dfrac{\pi}{2}$ ④ $-\dfrac{\pi(x-1)^2}{2(x+1)^2}$ ⑤ $-\dfrac{\pi(x+1)^2}{2(x-1)^2}$

Ans. ③

스킬편입수학   Copyright ⓒ 스킬편입수학. All rights Reserved.

< 매개변수함수의 미분 >

$$\begin{cases} x = f(t) \\ y = g(t) \end{cases} \quad t값에 \; 따라 \; x,y값 \; 결정 .$$

① 원 : $x^2 + y^2 = a^2 \rightarrow \begin{cases} x = a\cos t \\ y = a\sin t \end{cases}$

② 싸이클로이드(파선형) $\rightarrow \begin{cases} x = a(t - \sin t) \\ y = a(1 - \cos t) \end{cases} \quad (a > 0)$

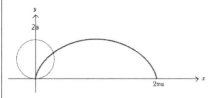

③ 성망형(에스트로이드) : $x^{\frac{2}{3}} + y^{\frac{2}{3}} = a^{\frac{2}{3}} \rightarrow \begin{cases} x = a\cos^3 t \\ y = a\sin^3 t \end{cases} \quad (a > 0)$

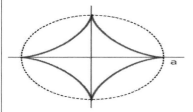

*매개변수함수의 미분법 : $\begin{cases} x = f(t) \\ y = g(t) \end{cases}$, $\dfrac{dy}{dx} = \dfrac{\dfrac{dy}{dt}}{\dfrac{dx}{dt}}$

Copyright ⓒ 스킬편입수학. *All rights Reserved.*

1) $\begin{cases} x = t^2 \\ y = \ln t \end{cases}$ 의 $\dfrac{dy}{dx} = ?$

2) $\begin{cases} x = \cos t \\ y = \sin t \end{cases}$ 의 $\dfrac{dy}{dx} = ?$

3) $\begin{cases} x = \cosh\theta \\ y = \sinh\theta \end{cases}$ 에서 $\dfrac{dy}{dx} = ?$

① $x^2 - 1$ ② $\sqrt{x^2 - 1}$ ③ $\dfrac{x}{\sqrt{x^2 - 1}}$ ④ $\dfrac{1}{\sqrt{x^2 - 1}}$

$Ans.$ ③

$< y = f(x)^{g(x)}$ 형태의 미분 $>$

$y = f(x)^{g(x)} \rightarrow e^{\ln y} = y = e^{g(x)\ln f(x)}$ 로 변환후 미분

Copyright ⓒ 스킬편입수학. All rights Reserved.

1) $y = x^{\frac{1}{x}}$ 일 때 $y' = ?$

2) $f(x) = x^{\sqrt{x}}$ 일 때, $f'(4) = ?$

$Ans.\ 8\ln 2 + 8$

21인하

3) 함수 $f(x) = x^x$ 에 대하여 $f'(e)$ 의 값은?

ⓐ e^e　　ⓑ $2e^e$　　ⓒ $3e^e$　　ⓓ $4e^e$　　ⓔ $5e^e$

$Ans.$ ⓑ

4) $f(x) = x^{\ln x}$ 일 때, $f''(1)$ 의 값은?

① $\dfrac{1}{2}$ ② $\dfrac{1}{e}$ ③ 1 ④ 2 ⑤ e

$Ans.$ ④

Copyright ⓒ스킬편입수학. *All rights Reserved.*

< 고계도함수 >

$y = f(x)$형태 $\rightarrow y' = f'(x) = \dfrac{dy}{dx}$

$y'' = f''(x) = \dfrac{d^2y}{dx^2}$

$y''' = f'''(x) = \dfrac{d^3y}{dx^3}$

$\vdots$

n계도함수 : $y^{(n)} = f^{(n)}(x) = \dfrac{d^n y}{dx^n}$

1) $y = e^{-x^2}$에서 $y''(0) = ?$
$Ans. -2$

2) $y = \tan^{-1}x$에서 $y'' = ?$
$Ans. \dfrac{-2x}{(1+x^2)^2}$

* $n!$(팩토리얼)$= 1 \cdot 2 \cdot 3 \cdot 4 \cdots (n-1) \cdot n \rightarrow n$까지 곱으로 연결

$0! = 1, \ 1! = 1$

3) $y = x^{10}$에서 $y^{(10)} = ?$
$Ans. 10!$

Copyright ⓒ 스킬편입수학. All rights Reserved.

> **< 매개변수함수의 두번미분 >**
>
> $$\frac{dy}{dx} = \frac{\dfrac{dy}{dt}}{\dfrac{dx}{dt}} \Rightarrow \text{변수 } t\text{의 함수 .} \quad \frac{d}{dx}\left(\frac{dy}{dx}\right) = \frac{d}{dt}\left(\frac{dy}{dx}\right) \cdot \frac{dt}{dx} = \frac{d}{dt}\left(\frac{dy}{dx}\right)\frac{1}{\dfrac{dx}{dt}}$$

1) $\begin{cases} x = \cos\theta \\ y = \sin\theta \end{cases}$ 일 때, $\dfrac{d^2y}{dx^2} = ?$

$Ans. - \csc^3\theta$

2) $\begin{cases} x = 1 + t^2 \\ y = t - t^3 \end{cases}$ 이며, $t = 1$일 때, $\dfrac{d^2y}{dx^2} = ?$

$Ans. - 1$

< 음함수의 두번미분 >

1) $x^2 + y^2 = a^2$의 $\dfrac{d^2y}{dx^2} = ?$

2) $x^4 - y^4 = 16$에서 $y'' = ?$

Copyright ⓒ 스킬편입수하. All rights Reserved.

3) $x^4 + y^4 = 16$일 때, $x = \sqrt[4]{15}, y = -1$에서 이계도함수 y''의 값은?

① $12\sqrt{15}$ ② $16\sqrt{15}$ ③ $24\sqrt{15}$ ④ $48\sqrt{15}$ ⑤ $64\sqrt{15}$

$Ans.$ ④

< 역함수 두번미분 >

* 공식 : $-\dfrac{f''(x)}{(f'(x))^3}$

---

1) $f(x) = e^x + x$의 역함수 $g(x)$에 대해 $g''(1) = ?$

$Ans.$ $\dfrac{-1}{8}$

< 복잡한 함수 ln씌우는 유형 >

1) $y = \dfrac{(x+1)(x+2)^2}{(x+3)^3(x+4)^4}$에 대하여 y의 도함수는 $y' = \left(\dfrac{A}{x+1} + \dfrac{B}{x+2} + \dfrac{C}{x+3} + \dfrac{D}{x+4} \right)y$이다.

   이때, $A + B + C + D$의 값은?

① -10 ② -8 ③ -4 ④ 2 ⑤ 10

$Ans.$ ③

Copyrightⓒ스킬편입수학. *All rights Reserved.*

2) $f(x) = \sqrt{\dfrac{(x-1)(x-2)}{(x-3)(x-4)}}$ 일 때, 미분계수 $f'(5) = ?$

$Ans.\ \dfrac{-11\sqrt{6}}{24}$

< 곡률 >

곡률 : 곡선이 휘어진 정도 $= K$

곡률 $K = \dfrac{1}{R}$ ($R =$ 곡률반경 $=$ 곡률반지름)

*공식 ① $y = f(x)$에서의 곡률 $\quad : K = \dfrac{\left| y'' \right|}{\left[1 + (y')^2 \right]^{\frac{3}{2}}}$

$\qquad$ ② $\begin{cases} x = f(t) \\ y = g(t) \end{cases}$ 에서의 곡률 $: K = \dfrac{\left| x'y'' - y'x'' \right|}{\left[(x')^2 + (y')^2 \right]^{\frac{3}{2}}}$

$\qquad$ ③ 점 (x, y)에서 곡률중심 $(X, Y) : X = x - \dfrac{y'(1 + (y')^2)}{y''}$

$\qquad\qquad\qquad\qquad\qquad\qquad\qquad Y = y + \dfrac{1 + (y')^2}{y''}$

스킬편입수학

Copyright ⓒ 스킬편입수학. *All rights Reserved.*

1) $y = x^2$ 위의 점 $(0,0)$에서 곡률은?
$Ans.\,2$

2) $\begin{cases} x = 2t \\ y = t^2 - t \end{cases}$ 의 $t = 1$에서 곡률중심은?

$Ans.\left(\dfrac{3}{4}, \dfrac{5}{2}\right)$

3) $x^2 + y^2 = a^2$의 곡률반경은?
$Ans.\,a$

20성대

4) 곡선의 방정식이 $y = x^3$일 때 점 $(1,1)$에서의 곡률원의 중심 좌표는?

① $\left(-6, \dfrac{13}{3}\right)$ ② $\left(-5, \dfrac{10}{3}\right)$ ③ $\left(-4, \dfrac{8}{3}\right)$ ④ $(-3,\ 7)$ ⑤ $(-2,\ 8)$

$Ans.\,③$

Copyright ⓒ 스킬편입수학. All rights Reserved.

< 극한 >

$$\lim_{x \to a} f(x) = \alpha \ \text{수렴} \quad = \begin{cases} \lim\limits_{x \to a^-} f(x) = \alpha \ : \ \text{좌극한} \\ \lim\limits_{x \to a^+} f(x) = \alpha \ : \ \text{우극한} \end{cases}$$

★ 좌극한, 우극한 나누는 경우 : ① 절댓값 ② 가우스 ③ 분모 $= 0$(단, 분자 $\neq 0$)

$$④ \begin{cases} \square \\ \bigcirc \end{cases} \text{구간 쪼개진 경우}$$

---

graph.

① 직관적판정

$$\frac{1}{\infty} = 0, \quad \frac{900000000000000}{\infty} = 0$$

$$\frac{\infty}{1} = \infty \ , \ \frac{1}{0} = \infty \ , \ \frac{0}{1} = 0 \ , \ \frac{0}{\infty} = 0, \ \frac{\infty}{0} = \infty$$

$$\infty \times \infty = \infty \ , \ \infty + c = \infty, \ -\infty \times -\infty = \infty, \ \infty + \infty = \infty$$

$$0 + 0 = 0, \ 0 + \infty = \infty, \ 0 \bullet 0 = 0$$

→ 극한계산은 직관적 판정으로 하며 직관적판정이 불가 할때는 로피탈정리 적용.

*극한의 성질

두 함수 $f(x), g(x)$가 $\lim\limits_{x \to a} f(x) = \alpha, \ \lim\limits_{x \to a} g(x) = \beta$

(1) $\lim\limits_{x \to a} \{f(x) + g(x)\} = \lim\limits_{x \to a} f(x) + \lim\limits_{x \to a} g(x) = \alpha + \beta$

(2) $\lim\limits_{x \to a} f(x) g(x) = \lim\limits_{x \to a} f(x) \bullet \lim\limits_{x \to a} g(x) = \alpha \bullet \beta$

(3) $\lim\limits_{x \to a} cf(x) = c \lim\limits_{x \to a} f(x) = c\alpha$

Copyright ⓒ 스길편입수학. *All rights Reserved.*

1) $\displaystyle\lim_{x \to 0} \frac{\cos x}{x}$

2) $\displaystyle\lim_{x \to 0} \sin\frac{1}{x}$

3) $\displaystyle\lim_{x \to 0} \frac{\cosh x}{x}$

4) $\displaystyle\lim_{x \to 0} \frac{x}{e^x}$

5) $\displaystyle\lim_{x \to \infty} 2^{\frac{1}{x}}$

6) $\displaystyle\lim_{x \to 3} \frac{2x+5}{x^2-x-6}$

7) $\displaystyle\lim_{x \to \pi} \frac{\sin x}{1-\cos x}$

Copyright ⓒ 스킬편입수학. *All rights Reserved.*

8) $\lim\limits_{x \to 1^+} \dfrac{2x}{x-1}$

9) $\lim\limits_{x \to 1^-} \dfrac{2x}{x-1}$

* 극한의 부정형

① $\dfrac{0}{0}, \dfrac{\infty}{\infty}, \infty - \infty, 0 \times \infty$

② $0^0, \infty^0, 1^\infty$ (지수형태)

→부정형꼴은 직관적 판단이 힘들기 때문에 식의 변형이 필요하다.

② 로피탈 정리

함수 $f(x), g(x)$가 s를 포함하는 구간 L에서 연속이고, $x=s$는 제외할 수 있다고 한다면 구간 L에서 도함수가 존재하고 또 $g'(x) \neq 0$이면 $f(s)=0, g(s)=0$일 때, $\lim\limits_{x \to s} \dfrac{f(x)}{g(x)} = \lim\limits_{x \to s} \dfrac{f'(x)}{g'(x)}$가 성립한다.

형태 : $\dfrac{0}{0}, \dfrac{\infty}{\infty}$, 공식 : $\lim\limits_{x \to s} \dfrac{f(x)}{g(x)} = \lim\limits_{x \to s} \dfrac{f'(x)}{g'(x)}$ (우변의 극한값이 존재할때 적용 가능)

(1) $\dfrac{0}{0}$ 꼴

1) $\lim\limits_{x \to 0} \dfrac{\sinh x}{x}$

2) $\lim\limits_{x \to 0} \dfrac{\sinh^{-1} x}{x}$

스킬편입수학 Copyright ⓒ스킬편입수학. *All rights Reserved.*

21경희

3) $\lim\limits_{x \to 0} 2x \cot 3x + \lim\limits_{x \to 5} \dfrac{4\sin(x-5)}{3x^2 - 18x + 15}$ 의 값은?

Ans. 1

4) $\lim\limits_{x \to 0} \dfrac{e^{3x} - 1 - 3x}{x^2}$

Ans. $9/2$

17아주

5) $\lim\limits_{x \to +\infty} \dfrac{e^x}{x^{2017}}$ 의 값은?

① 0   ② 1   ③ e ④ 2017   ⑤ ∞

Ans. ⑤

6) $\lim\limits_{x \to \pi} \dfrac{(1+x)^{\sin x} - 1}{x - \pi}$

Copyright ⓒ 스킬편입수학. All rights Reserved.

21단국

7) $\lim\limits_{x \to -2} \dfrac{1 - \sqrt{x+a}}{x+2} = b$ 를 만족시키는 상수 a, b에 대하여 ab의 값은?

① $-\dfrac{3}{2}$ ② -1 ③ $-\dfrac{1}{2}$ ④ 1

Ans. ①

21단국

8) 미분가능함수 $f(x)$와 $g(x)$가
$\lim\limits_{x \to 1} \dfrac{f(x)-3}{x-1} = 1$, $\lim\limits_{x \to 1} \dfrac{g(x)+2}{x-1} = 2$를 만족시킬 때, 함수 $h(x) = f(x)g(x)$에 대하여 $h'(1)$의 값은?

① 0 ② 1 ③ 2 ④ 4

Ans. ④

19세종

9) 극한 $\lim\limits_{x \to 0} \dfrac{(1+x^2)^{2/x} - 1}{\sin x}$ 을 구하면?

① $\dfrac{1}{2}$ ② 1 ③ $\dfrac{3}{2}$ ④ 2 ⑤ $\dfrac{5}{2}$

Ans. ④

스킬편입수학

Copyrightⓒ스킬편입수학. *All rights Reserved.*

(2) $\dfrac{\infty}{\infty}$ 꼴

1) $\displaystyle\lim_{x\to\infty}\dfrac{x^4+1}{e^x}$

2) $\displaystyle\lim_{x\to\infty}\dfrac{\ln x}{1+\ln x}$

3) $\displaystyle\lim_{x\to 0^+}\dfrac{\ln\sin x}{\ln\tan x}$

4) $\displaystyle\lim_{x\to\infty}\dfrac{x^2-3}{2x^2+x+1}$

＊분모분자의 최고차수가 같은 다항식의 극한 : 최고차항의 계수

5) $\displaystyle\lim_{x\to\infty}\sin^{-1}\left(\dfrac{x+2}{2x+8}\right)$

6) $\displaystyle\lim_{x\to 0}\dfrac{\dfrac{1}{x}}{e^{\frac{1}{x^2}}}$

(3) $f(x)\times g(x)$ 꼴

1) $\displaystyle\lim_{x\to 0^+} x\ln x$

2) $\displaystyle\lim_{x\to\infty} x\ln\left(1+\dfrac{1}{x}\right)$

3) $\lim\limits_{x \to \infty} x \sin \frac{1}{x}$

4) $\lim\limits_{x \to 0} x \cot x$

5) $\lim\limits_{x \to 0} x \sin \frac{1}{x}$

21아주

6) 아래 극한을 구하라.

$$\lim_{n \to \infty} \left(1 - \sin\left(\frac{1}{3n}\right)\right)^{2n}$$

① 발산   ② $e^{-\frac{2}{3}}$ ③ $e^{\frac{2}{3}}$ ④ $e^{-\frac{3}{2}}$ ⑤ $e^{\frac{3}{2}}$

*Ans.*②

Copyright ⓒ스킬편입수학. *All rights Reserved.*

7) 함수 $f(x) = \tan x \left(0 < x < \dfrac{\pi}{2}\right)$ 의 역함수를 $g(x)$라 할 때, 극한값 $\displaystyle\lim_{x \to 1} \dfrac{g(x) - \dfrac{\pi}{4}}{x - 1}$ 은?

① $\dfrac{1}{4}$ ② $\dfrac{\pi}{4}$ ③ $\dfrac{1}{2}$ ④ 1 ⑤ $\dfrac{\pi}{2}$

Ans. ③

(4) $f(x)^{g(x)}$형태의 극한 : $\displaystyle\lim_{x \to a} f(x)^{g(x)} = \lim_{x \to a} e^{g(x)\ln f(x)}$ 형태로 변형후 적용.

1) $\displaystyle\lim_{x \to \infty} x^{\frac{1}{x}}$

*Ans.*1

2) $\displaystyle\lim_{x \to 0}(1 + \sin 4x)^{\cot x}$

Ans. e^4

3) $\displaystyle\lim_{x \to 0}(e^x + x)^{\frac{1}{\tan^{-1}x}}$

Ans. e^2

4) $\lim_{x \to \infty} (2x+1)^{\frac{1}{\ln x}}$

Ans. e

5) $\lim_{x \to \infty} \left(\cos \frac{2}{x}\right)^{x^2}$

Ans. e^{-2}

6) $\lim_{x \to \infty} \sqrt[x]{x} \left(1 + \frac{1}{x}\right)^x$

Ans. e

19가천

7) 극한 $\lim_{x \to 0} (e^x - x)^{\frac{2}{x^2}}$ 의 값은?

① 1 ② 2 ③ e ④ $\sqrt{e}$

Ans. ③

Copyright ⓒ 스킬편입수학. All rights Reserved.

8) $\displaystyle\lim_{x \to \infty} \left(\dfrac{\sin\left(\dfrac{\pi}{4} + \dfrac{1}{x}\right)}{\sin\dfrac{\pi}{4}} \right)^x$

Ans.e

(5) 무리식의 극한

1) $\displaystyle\lim_{x \to \infty} \left(\sqrt{x^2 + x} - x \right)$

Ans. $1/2$

2) $\displaystyle\lim_{x \to 0} \dfrac{2x}{\sqrt{1+x} - \sqrt{1-x}}$

Ans. 2

Copyright ⓒ 스킬편입수학. *All rights Reserved.*

(6) 절대치를 포함하는 함수의 극한

$$\sqrt{x^2} = |x| , \begin{cases} x \geq 0 : \quad x \\ x < 0 \ : -x \end{cases}$$

1) $\displaystyle \lim_{x \to 0} \frac{x}{|x|}$

2) $\displaystyle \lim_{x \to 1^-} \frac{x^2 - 1}{|x - 1|}$

(7) 가우스 함수의 극한

가우스함수 $[x]$: x를 넘지 않는 최대정수

Ex) $[0.5] = 0$, $[-1.5] = -2$, $[4.8] = 4.8 - 0.8 = 4$, $[-2.9] = -2.9 - 0.1 = -3$

유형 : ⓐ [∞ 아닌꼴] : 좌극한, 우극한
　　　ⓑ [± ∞] : $[x] = x - \alpha \, (0 \leq \alpha < 1)$

⇒ 극한으로 보낸 가우스값은 진짜 값이다.

1) $\displaystyle \lim_{x \to 2^+} \left[\frac{x}{2} \right]$

2) $\displaystyle \lim_{x \to 2^-} \left[\frac{x}{2} \right]$

3) $\displaystyle \lim_{x \to 4} \left(\left[\frac{x}{2} \right] - \frac{[x]}{2} \right) =$ 존재하지 않음

4) $\lim\limits_{x \to \infty} \dfrac{[x^2] - x^2}{\sqrt{x}} = 0$,

풀이 : $\lim\limits_{x \to \infty} \dfrac{x^2 - \alpha - x^2}{\sqrt{x}} = \lim\limits_{x \to \infty} \dfrac{-\alpha}{\sqrt{x}} = 0, \ (0 \le \alpha < 1)$

5) $\lim\limits_{x \to 0^+} \dfrac{x}{2}\left[\dfrac{3}{x}\right] = \dfrac{3}{2}$

풀이 : $\lim\limits_{x \to 0^+} \dfrac{x}{2}\left(\dfrac{3}{x} - \alpha\right) = \lim\limits_{x \to 0^+} \dfrac{3}{2} - \alpha\dfrac{x}{2} = \dfrac{3}{2}$

(8) 분모 $= 0\,(단, 분자 \ne 0)$ 형태

1) $\lim\limits_{x \to 2} 3^{\frac{1}{x-2}}$
$Ans.$ 극한값 존재 X

★ 2) 다음 극한값을 구하시오.

$\lim\limits_{x \to 0} \dfrac{\sin 2x\left(e^x - \sin x - 1 - \dfrac{x^2}{2} - \dfrac{x^3}{3}\right)}{x^5}$

① 1   ② $\dfrac{1}{12}$ ③ $\dfrac{1}{2}$ ④ 3

★ 3) $\lim\limits_{x\to 0}\dfrac{\sin^{-1}x - x}{x^3}$ 의 극한값은?

① 1 ② $\dfrac{1}{6}$ ③ 3 ④ $\dfrac{2}{3}$

*Ans.*②

17숙대

4) 극한 $\lim\limits_{x\to 0}\dfrac{\sin x - x + \dfrac{x^3}{3!} - \dfrac{x^5}{5!}}{(x^3\cos x)^{\frac{7}{3}}}$ 의 값은?

① $\dfrac{-1}{7!}$ ② $-\dfrac{1}{2}\cdot\dfrac{-1}{7!}$ ③ $\dfrac{7}{3}\cdot\dfrac{1}{7!}$ ④ $\dfrac{1}{2}\cdot\dfrac{1}{7!}$ ⑤ $\dfrac{1}{7!}$

*Ans.*①

★ 5) $\lim\limits_{x\to 0}\left(\dfrac{\tan x}{x}\right)^{\frac{1}{x^2}} = e^{\frac{1}{3}}$

Copyright ⓒ 스킬편입수학. All rights Reserved.

20세종

6) $\lim_{x \to 0} \left(\dfrac{2^x + 3^x}{2} \right)^{\frac{4}{x}} = ?$

Ans. 36

7) $\lim_{x \to 0} \dfrac{x^3}{\tan x - x}$ 의 값은?

ⓐ 1   ⓑ 2   ⓒ 3   ⓓ 4   ⓔ 5

Ans. ⓒ

8) $\lim_{x \to \infty} x\ln\left(\dfrac{x+3}{x+1} \right)$ 의 값은?

Ans. 2

9) $\lim_{x \to 0^+} \dfrac{\sqrt{1 - \cos x}}{x}$

Ans. $\dfrac{1}{\sqrt{2}}$

Copyright ⓒ 스킬편입수학. All rights Reserved.

10) $\displaystyle\lim_{x\to 4^+}\frac{[x]^2-16}{x-4}$

$Ans.\,0$

11) $\displaystyle\lim_{x\to\infty}\left\{x-x^2\ln\left(\frac{1+x}{x}\right)\right\}$

$Ans.\,\dfrac{1}{2}$

12) 극한 $\displaystyle\lim_{x\to 0^+}x(2-3\ln x)$의 값은?

① $-\infty$　② -3　③ 0　④ 2　⑤ $+\infty$

$Ans.\,③$

13) 극한 $\displaystyle\lim_{x\to 0^+}(x+\sin x+\cos x-1)^{\frac{2}{\ln x}}$ 의 값은?

① 0　② 1　③ e　④ e^2　⑤ e^3

$Ans.\,④$

Copyright ⓒ 스킬편입수학. All rights Reserved.

16숙대

14) $\lim\limits_{n \to \infty} \left[\dfrac{1}{2}\left(1 + \dfrac{1}{n}\right)\left(\left(1 + \dfrac{1}{n+1}\right)\left(1 + \dfrac{1}{n+2}\right)\cdots\left(1 + \dfrac{1}{2n}\right)\right) \right]^{2n}$ 의 극한값은?

① e ② 0 ③ 1 ④ π ⑤ ∞

Ans. ①

15) 두 수열 $\{a_n\}$과 $\{b_n\}$ 다음을 만족한다.

$\lim\limits_{n \to \infty} (n^2 + n + 2)a_n = \alpha,\ \lim\limits_{n \to \infty}(3n+1)b_n = \beta,\ (b_n \neq 0),\quad \lim\limits_{n \to \infty}\dfrac{na_n}{b_n} = 9$ 일 때, $\dfrac{\alpha}{\beta}$ 의 값은?

① 1 ② 2 ③ 3 ④ 4 ⑤ 5

Ans. ③

Copyright ⓒ 스킬편입수학. All rights Reserved.

16) 다음 중 극한값이 1이 아닌 것은?

① $\lim_{n\to\infty} n\tan\dfrac{1}{n}$ ② $\lim_{n\to\infty} n^2\left(1-\cos\left(\dfrac{1}{n}\right)\right)$ ③ $\lim_{n\to\infty} n\ln\left(\dfrac{n+1}{n}\right)$ ④ $\lim_{n\to\infty} n^{\frac{1}{n}}$ ⑤ $\lim_{n\to\infty} 2^{\sin\frac{1}{n}}$

Ans. ②

17) 실수 전체에서 정의된 함수 $f(x) = 2x^3 + 3x$에 대하여 극한값 $\lim_{n\to\infty} nf^{-1}\left(\dfrac{1}{n}\right)$ 은?

① $\dfrac{1}{3}$ ② $\dfrac{1}{6}$ ③ $\dfrac{1}{9}$ ④ $\dfrac{1}{12}$ ⑤ $\dfrac{1}{15}$

Ans. ①

Copyright ⓒ스킬편입수학. *All rights Reserved.*

> **< *Taylor*급수 >**
> 무한번 미분 가능한 함수 $f(x)$에 대해 $x = \alpha$에서 ($x = \alpha$를 중심으로) *Taylor*급수
>
> $$f(x) = f(\alpha) + \frac{f'(\alpha)}{1!}(x - \alpha) + \frac{f''(\alpha)}{2!}(x - \alpha)^2 + \frac{f'''(\alpha)}{3!}(x - \alpha)^3 + \cdots$$

1) $f(x) = \sin x$의 $\dfrac{\pi}{2}$를 중심으로 하는 T급수는?

2) $f(x) = \ln x$의 $x = 2$를 중심으로 하는 T급수?

3) $f(x) = \dfrac{1}{x}$에서 $x = 1$을 중심으로 하는 T급수의 $(x - 1)^2$의 계수는?

4) $f(x) = \sqrt{x}$의 $x = 2$를 중심으로 하는 T급수에서 $(x - 2)^2$의 계수를 구하시오.

5) $x^{10}+1=2+\sum_{k=1}^{10}C_k(x-1)^k$에서 $C_5=?$

<Maclaurin 급수>
$x=0$에서 ($x=0$을 중심으로 한) T급수

$$f(x)=f(0)+\frac{f^{'}(0)}{1!}x+\frac{f^{''}(0)}{2!}x^2+\cdots$$

♦ Maclaurin 급수 전개

1) $\dfrac{1}{1-x}=1+x+x^2+x^3+\cdots=\sum_{n=0}^{\infty}x^n \quad (|x|<1)$

2) $e^x=1+x+\dfrac{x^2}{2!}+\dfrac{x^3}{3!}+\dfrac{x^4}{4!}+\cdots=\sum_{n=0}^{\infty}\dfrac{x^n}{n!} \quad (-\infty<x<\infty)$

3) $\ln(1+x)=x-\dfrac{x^2}{2}+\dfrac{x^3}{3}-\cdots=\sum_{n=1}^{\infty}\dfrac{(-1)^{n+1}x^n}{n} \quad (-1<x\le 1)$

4) $-\ln(1-x)=\left(x+\dfrac{x^2}{2}+\dfrac{x^3}{3}+\dfrac{x^4}{4}\cdots\right)=\sum_{n=1}^{\infty}\dfrac{x^n}{n}$

5) $\sin x=x-\dfrac{x^3}{3!}+\dfrac{x^5}{5!}-\dfrac{x^7}{7!}+\cdots=\sum_{n=0}^{\infty}\dfrac{(-1)^nx^{2n+1}}{(2n+1)!} \quad (-\infty<x<\infty)$

6) $\cos x=1-\dfrac{x^2}{2!}+\dfrac{x^4}{4!}-\dfrac{x^6}{6!}+\cdots\sum_{n=0}^{\infty}\dfrac{(-1)^nx^{2n}}{(2n)!} \quad (-\infty<x<\infty)$

7) $\tan^{-1}x=x-\dfrac{x^3}{3}+\dfrac{x^5}{5}-\dfrac{x^7}{7}\cdots=\sum_{n=0}^{\infty}\dfrac{(-1)^nx^{2n+1}}{(2n+1)} \quad (|x|<1)$

8) $\sinh x = x + \dfrac{x^3}{3!} + \dfrac{x^5}{5!} + \dfrac{x^7}{7!} + \cdots = \displaystyle\sum_{n=0}^{\infty} \dfrac{x^{2n+1}}{(2n+1)!} \quad (-\infty < x < \infty)$

9) $\cosh x = 1 + \dfrac{x^2}{2!} + \dfrac{x^4}{4!} + \dfrac{x^6}{6!} + \cdots = \displaystyle\sum_{n=0}^{\infty} \dfrac{x^{2n}}{(2n)!} \quad (-\infty < x < \infty)$

10) $\tanh^{-1}x = x + \dfrac{x^3}{3} + \dfrac{x^5}{5} + \dfrac{x^7}{7} \cdots = \displaystyle\sum_{n=0}^{\infty} \dfrac{x^{2n+1}}{(2n+1)} \ (|x| < 1)$

11) $(1+x)^p = 1 + px + \dfrac{p(p-1)}{2!}x^2 + \dfrac{p(p-1)(p-2)}{3!}x^3 + \cdots \quad (|x| < 1)$

12) $\sin^{-1}x = x + \dfrac{1}{2} \cdot \dfrac{1}{3}x^3 + \dfrac{1 \cdot 3}{2 \cdot 4} \cdot \dfrac{1}{5}x^5 + \cdots \quad (|x| < 1)$

13) $\sinh^{-1}x = x - \dfrac{1}{2} \cdot \dfrac{1}{3}x^3 + \dfrac{1 \cdot 3}{2 \cdot 4} \cdot \dfrac{1}{5}x^5 - \cdots \quad (|x| < 1)$

14) $\tan x = x + \dfrac{1}{3}x^3 + \dfrac{2}{15}x^5 + \dfrac{17}{315}x^7 + \cdots \quad \left(|x| < \dfrac{\pi}{2}\right)$

$ex)$ $\sin x^2$

    e^{-x^2}

    $\dfrac{1}{1+x}$

    $f(x) = x^2 e^{-x}$

1) $f(x) = e^x \sin x$의 M급수에서   4차항의 계수는?

Copyright ⓒ 스킬편입수학. All rights Reserved.

2) $f(x) = \dfrac{x-1}{x+1}$ 의 M급수에서 x^3의 계수는?

3) $f(x) = e^{2x}$ 의 M급수의 4차항의 계수는?

4) $f(x) = \ln\left(\dfrac{1+x}{1-x}\right) = \displaystyle\sum_{n=0}^{\infty} a_n x^n$ 에서 $a_4 = ?$

6) $f(x) = \dfrac{x^2}{1+x}$ 의 M급수의 x^4의 계수는?

7) $1 - \dfrac{1}{2} + \dfrac{1}{3} - \dfrac{1}{4} + \cdots = ?$

8) $\displaystyle\sum_{n=1}^{\infty}(-1)^{n+1}\frac{1}{n2^n}=?$

18국민

9) 함수 $f(x)=\dfrac{\sin x}{\sqrt{1-x^2}}$ 의 테일러급수 $\displaystyle\sum_{n=0}^{\infty}a_nx^n$ 에서 $a_0+a_1+a_2+a_3$ 의 값은?

① 1   ② $\dfrac{2}{3}$ ③ $\dfrac{4}{3}$ ④ $\dfrac{5}{3}$

Ans. ③

10) $\displaystyle\sum_{n=0}^{\infty}\frac{(-1)^nx^n}{2^{2n}n!}$

11) 함수 $f(x)=x\sin(x^2)$ 에 대하여 $f^{(15)}(0)+f^{(17)}(0)$의 값은?   (단, $f^{(n)}(x)=\dfrac{d^nf}{dx^n}$ 이다.)

① $-\dfrac{15!}{6!}$ ② $-\dfrac{15!}{7!}$ ③ 0   ④ $\dfrac{15!}{7!}$ ⑤ $\dfrac{15!}{6!}$

Ans. ②

Copyright ⓒ 스킬편입수하. *All rights Reserved.*

12) 함수 $f(x) = x(x+1)e^{-x}$ 에 대하여 $f^{(7)}(0) + f^{(8)}(0)$ 의 값은? 여기서 $f^{(n)}(x) = \dfrac{d^n f}{dx^n}$ 이다.

① 10 ② 11 ③ 12 ④ 13 ⑤ 14

*Ans.*④

13) $f(x) = x\cos x \sin x$ 일 때, $f^{(8)}(0)$ 의 값은?

① -2^9 ② -2^8 ③ -2^7 ④ 2^8 ⑤ 2^9

*Ans.*①

14) 다음 급수의 값은?

$$\sum_{n=1}^{\infty} (-1)^{n+1} n \left(\frac{1}{3}\right)^n = \frac{1}{3} - 2\left(\frac{1}{3}\right)^2 + 3\left(\frac{1}{3}\right)^3 + \cdots$$

① $\dfrac{1}{16}$ ② $\dfrac{1}{8}$ ③ $\dfrac{3}{16}$ ④ $\dfrac{1}{4}$ ⑤ $\dfrac{5}{16}$

*Ans.*③

15) $f(x) = x\sqrt{1+x^2}$ 일 때, $f^{(5)}(0)$ 의 값은?

① $-\dfrac{15}{4}$ ② $-\dfrac{15}{2}$ ③ -5 ④ -15 ⑤ 0

Ans. ④

16) 급수 $\displaystyle\sum_{n=1}^{\infty} \frac{n^2}{2^n}$ 의 값은?

① 2   ② 3   ③ 4   ④ 5   ⑤ 6

Ans. ⑤

< 연속함수 >

$y = f(x)$가 $x = a$에서 연속일 조건

① $f(a)$의 값이 존재

② $\displaystyle\lim_{x \to a} f(x)$의 값이 존재

③ $f(a) = \displaystyle\lim_{x \to a} f(x)$

* $f(x)$와 $g(x)$가 모두 연속이면 $f(x) \pm g(x)$, $f(x) \times g(x)$, $f(x) \div g(x)$ 도 연속이다.
(단, 분모가 0이 되면 안된다.)

Copyright ⓒ 스킬편입수학. *All rights Reserved.*

1) $f(x) = \begin{cases} x\sin\dfrac{1}{x} & , (x \neq 0) \\ 0 & , (x = 0) \end{cases}$ $x = 0$에서 연속인가?

Ans. 연속

2) $f(x) = \begin{cases} x^2\tan^{-1}\dfrac{1}{x} & , (x \neq 0) \\ 0 & , (x = 0) \end{cases}$ $x = 0$에서 연속인가?

Ans. 연속

3) $f(x) = \begin{cases} x^2\cos^2 x & , (x \neq 0) \\ 1 & , (x = 0) \end{cases}$ $x = 0$에서 연속인가?

Ans. 불연속

Copyright ⓒ 스킬편입수학. All rights Reserved.

4) $f(x) = \begin{cases} x^2 & , (x = \text{유리수}) \\ 0 & , (x = \text{무리수}) \end{cases}$ $x = 0$에서 연속인가?

$Ans.$ 연속

5) $f(x) = \begin{cases} 1 & , (x = \text{유리수}) \\ 0 & , (x = \text{무리수}) \end{cases}$ 는 연속인가 불연속인가?

$Ans.$ 불연속

6) $f(x) = \dfrac{x^2 - 4}{x^3 - 8}$ 가 모든 실수에서 연속이 될때 $f(2) = ?$

$Ans.$ $1/3$

7) f가 모든실수에서 연속이고 $x \neq 0$인 x에 대해서 $f(x) = (e^x + x^2)^{\frac{1}{x}}$일 때, $f(0) = ?$

$Ans.$ e

8) $f(x) = (x+1)^{\frac{1}{\tan\left(\frac{x}{\pi}\right)}}$ 가 $x=0$에서 연속일 때 $f(0) = ?$

Ans. e^π

18숙대

9) 함수 $f(x) = \begin{cases} \dfrac{x^2 - x - 12}{x^2 - 10x + 24}, & x \neq 4 \\ \dfrac{-7}{2}, & x = 4 \end{cases}$ 의 불연속점을 모두 찾으면?

① 4 ② 6 ③ $-6, 4$ ④ $4, 6$ ⑤ 불연속점 없음

Ans. ②

16건국

10) 함수 $f(x) = \begin{cases} c^2 x^2 + 2x, & x < 2 \\ x^3 - c^2 x, & 2 \leq x \end{cases}$ 가 $(-\infty, \infty)$에서 연속이 되게 하는 상수 c의 값을 c_1, c_2라 하자.

$|c_1 - c_2|$ 의 값은? (단, $i = \sqrt{-1}$)

① $2i$ ② $\dfrac{2}{3\sqrt{3}}i$ ③ 0 ④ $\dfrac{2\sqrt{2}}{\sqrt{3}}$ ⑤ $\dfrac{2}{\sqrt{5}}$

Ans. ④

Copyright ⓒ 스킬편입수학. All rights Reserved.

17건국

11) 다음과 같이 정의된 함수 $h(x)$가 실수 전체에서 연속일 때, a의 값은?

$$h(x) = \begin{cases} \tan\left(\dfrac{\pi x}{2}\right), & x < -\dfrac{1}{3} \text{ or } x > \dfrac{2}{3} \\ ax + b, & -\dfrac{1}{3} \leq x \leq \dfrac{2}{3} \end{cases}$$

① $\dfrac{1}{\sqrt{3}}$ ② $\dfrac{2}{\sqrt{3}}$ ③ $\dfrac{3}{\sqrt{3}}$ ④ $\dfrac{4}{\sqrt{3}}$ ⑤ $\dfrac{5}{\sqrt{3}}$

$Ans.$ ④

< 중간값 정리 >

중간값 정리 : $y = f(x)$가 $[a,b]$ 연속이고, $f(a) \neq f(b)$ 일때 $f(a) < k < f(b)$ 를

만족하는 k에 대해 $f(c) = k$인 c가 구간 $[a,b]$에서 적어도 1개 이상 존재한다.

* $f(a)$와 $f(b)$가 부호가 반대이면 구간 $[a,b]$ 사이에서 해가 1개 이상 존재

---

1) $3x^3 + 2x^2 - x = 7$이 구간 $[1,2]$에서 해를 가짐을 보여라.

2) $f(x) = x^5 - 3x^2 + 5$가 근을 갖는 구간은?

① $[-2, \ -1]$
② $[-1, \ \ 0]$
③ $[0 \ \ , \ \ 1]$
④ $[1 \ \ , \ \ 2]$
Ans. ①

< 도함수의 정의 >

$$\frac{f(x+h)-f(x)}{h} = 평균변화율 = 기울기 = \frac{dy}{dx}$$

$$\lim_{h \to 0} \frac{f(a+h)-f(a)}{h} = f'(a) = y'|_{x=a} = a에서의 순간변화율$$

* $x=a$에서 미분가능조건 :

① $x=a$에서 연속

② 좌미분계수 = 우미분계수 (★도함수 정의를 먼저 이용)

$$\lim_{h \to 0^-} \frac{f(a+h)-f(a)}{h} = \lim_{h \to 0^+} \frac{f(a+h)-f(a)}{h}$$

☆좌미분계수,우미분계수 판단형태 : 절대값,가우스,$\frac{1}{0}$

*$x=a$에서 미분 불가능한 경우

　1)뾰족한 점일때
　2)불연속인 경우
　3)수직접선이 존재할 경우

* 함수 $f(x)$가 $x=a$에서 미분 가능하면 $f(x)$는 $x=a$에서 연속이다.

Graph.

1) $f(x) = \sqrt{x}$에 대해 $f'(x) = \dfrac{1}{2\sqrt{x}}$임을 보여라.

Copyright ⓒ 스킬편입수학. All rights Reserved.

2) $f(x) = |x|^3$는 $x = 0$에서 미분가능 여부를 판단해라.

*암기 : $y = |x|^n (x = 0)$에서 $n > 1$ 미분가능

3) $f(x) = |x|^{\frac{1}{3}}$는 $x = 0$에서 미분가능 여부를 판단해라.

4) $f(x) = x^{\frac{2}{3}}$는 $x = 0$에서 미분가능 한가?

건국13
5) 다음과 같이 정의된 함수 f에 대하여 $f'(0)$이 존재할 때, $a + b$는?

$$f(x) = \begin{cases} \sin x + \cos x, & x \leq 0 \\ ax + b & , x > 0 \end{cases}$$

① 1 ② 2 ③ 3 ④ 4

$Ans.②$

6) $f(x) = \begin{cases} x\sin\dfrac{1}{x} & (x \neq 0) \\ 0 & (x = 0) \end{cases}$ $x = 0$에서 미분가능한가?

Ans. 미분불가

7) $f(x) = \begin{cases} x\tan^{-1}\dfrac{1}{x} & (x \neq 0) \\ 0 & (x = 0) \end{cases}$ 은 $x = 0$에서 미분가능한가?

Ans. 미분불가

8) $f(x) = \begin{cases} e^{\frac{-1}{x}} & (x > 0) \\ 0 & (x \leq 0) \end{cases}$ 일 때 $f'(0) = ?$

Ans. 0

Copyright ⓒ 스킬편입수학. *All rights Reserved.*

9) 함수 f가 다음과 같이 주어질 때, $x=0$에서 전개한 f의 2차 테일러($Taylor$)다항식 $P(x)$를 구하면?

$$f(x) = \begin{cases} e^{\frac{-1}{x}} & , x > 0 \\ 0 & , x \leq 0 \end{cases}$$

① $p(x) = x - \dfrac{1}{2}x^2$ ② $p(x) = \dfrac{1}{2}x^2$ ③ $p(x) = 0$ ④ $p(x) = x + \dfrac{1}{2}x^2$

10) 다음에서 $x=0$ 에서 미분 가능한 함수를 모두 고르면?

ㄱ. $f(x) = \begin{cases} \sin\dfrac{1}{x} & , x \neq 0 \\ 0 & , x = 0 \end{cases}$
ㄴ. $f(x) = \begin{cases} x\sin\dfrac{1}{x} & , x \neq 0 \\ 0 & , x = 0 \end{cases}$
ㄷ. $f(x) = \begin{cases} x^2\sin\dfrac{1}{x} & , x \neq 0 \\ 0 & , x = 0 \end{cases}$

① ㄱ   ② ㄴ   ③ ㄷ   ④ ㄴ, ㄷ   ⑤ ㄱ, ㄴ, ㄷ

$Ans.$ ③

11) 함수 $f(x) = \begin{cases} x^2 \sin \dfrac{1}{x} , & x \neq 0 \\ 0 , & x = 0 \end{cases}$ 에 대하여, 다음 < 보기 > 중에서 참인 것은 모두 몇 개인가?

< 보기 >

(1) $f(x)$는 모든 실수에서 연속이다.

(2) $f(x)$는 모든 실수에서 미분가능하다.

(3) $f(x)$의 도함수 $f^{'}(x)$는 $x = 1$에서 연속이다.

(4) $f(x)$의 도함수 $f^{'}(x)$는 $x = 0$에서 연속이다.

12) f가 모든 실수에서 정의되고
   $i) \, f(a+b) = 3f(a)f(b)$
   $ii) \, f(0) = \dfrac{1}{3}$
   $iii) \, f^{'}(0) = 1$을 만족할 때 $f^{'}(x)$를 $f(x)$로 나타내라.

$Ans. \, f^{'}(x) = 3f(x)$

13) $f(x)$가 모든 실수 x, y에 대하여 $f(x+y) = f(x) + f(y) + xy$, $f'(0) = 5$이다. $f'(3)$의 값을 구해라.

Ans. 8

14) $f(x+y) = f(x) + f(y) + xy$인 관계가 성립할 때 $f'(0) = -2$일 때, $f'(a)$를 구하라.

Ans. $f'(a) = -2 + a$

15) 실수 전체 집합에서 정의된 함수 f가 다음 두 조건을 만족한다고 할 때, $f(5)$를 구하면?

$i) \ f(x+y) = f(x) + f(y) + 4xy \ (x, y \in R)$

$ii) \ \lim_{h \to 0} \dfrac{f(h)}{h} = 2$

Ans. 60

Copyright ⓒ 스킬편입수학. *All rights Reserved.*

< 평균값 정리 >

$y = f(x)$가 구간 $[a,b]$에서 연속이고 (a,b)에서 미분 가능 할때

$\dfrac{f(b) - f(a)}{b - a} = f'(c)$를 만족하는 c가 (a,b)사이에 적어도 1개 존재한다.

공식 : $\dfrac{f(b) - f(a)}{b - a} = f'(c)$

graph.

< 롤의 정리 >

$y = f(x)$가 구간 $[a,b]$에서 연속이고 (a,b)에서 미분 가능 하고 $f(a) = f(b)$일때
$f'(c) = 0$은 적어도 하나 존재한다.

graph.

17국민

1) 구간 $[1,3]$에서 미분 가능한 함수 f가 $f(1) = 1$ 과 $3 \le f'(x) \le 5$를 만족할 때, $f(3)$이 가질 수 있는 최댓값과 최솟값의 곱은?

① 60   ② 66   ③ 70   ④ 77

Ans. ④

Copyright ⓒ 스킬편입수학. All rights Reserved.

15숭실

2) $f(1) = 8$이고 $1 \leq x \leq 3$에서 $f'(x) \geq 3$일 때 $f(3)$이 가질 수 있는 최솟값은?

① 3 ② 10 ③ 11 ④ 14

Ans. ④

아주17

3) 함수 $f(x) = 3\sqrt{x}$에서 구간 $[1, 4]$에서 평균값 정리를 만족하는 상수 c의 값은?

① $\dfrac{3}{2}$ ② $\dfrac{3}{2\sqrt{2}}$ ③ $\dfrac{9}{4}$ ④ $\dfrac{9}{8}$ ⑤ 1

Ans. ③

4) 구간 $[-1, 1]$에서 평균값 정리를 적용시킬 수 있는 함수는?

① $f(x) = |x|$ ② $f(x) = x^{\frac{2}{3}}$ ③ $f(x) = |x|^{\frac{4}{3}}$ ④ $f(x) = \begin{cases} x\sin\dfrac{1}{x} & (x \neq 0) \\ 0 & (x = 0) \end{cases}$

Ans. ③

15과기

5) 구간 $[-1,\ 1]$에서 함수 $f(x)=\sqrt[3]{x^2}$에 롤의 정리를 적용할 수 없는 이유는?

① $x=0$에서 f는 미분불가능

② f는 전체구간에서 정의되지 않음

③ $[-1,1]$에서 f는 불연속

④ $f(-1)\neq f(1)$

Ans. ①

$<f'(x),\ \text{접선의 기울기}>$

   $y=f(x)$가 주어진 구간에서 증가할때 : $y'=f'(x)\geq 0$

   $y=f(x)$가 주어진 구간에서 감소할때 : $y'=f'(x)\leq 0$

$<$ 함수의 최대,최소값 $>$

폐구간$[a,b]$에서 연속인 함수는 폐구간에서 반드시 최댓값과 최솟값을 갖는다.

$<$ 임계점(극값을 갖는점의 후보) $>$

① $y=f(x)$에서 $f'(x)=0$을 만족하는 $x=a$(미분가능)

② $y=f(x)$에서 $\lim\limits_{x\to a}f'(x)=\infty$을 만족하는 $x=a$(미분 불가능점)

< $f''(x)$의 형태 >

i) $f''(x) > 0$: $f(x)$는 아래로 볼록

ii) $f''(x) < 0$: $f(x)$는 위로 볼록

극대와 극소 : 주위의 어떤 값보다 크거나 작은 값이며 최대최소와 다르다.

$x = a$에서 극대가 되려면 : ① $f'(a) = 0$ ($x = a$에서 임계점), ② $f''(a) < 0$ (위로볼록)

$x = a$에서 극소가 되려면 : ① $f'(a) = 0$ ($x = a$에서 임계점), ② $f''(a) > 0$ (아래로볼록)

iii) 변곡점 : $f''(x) = 0$이 되는 x점이고 이 점 전후로 $f''(x)$의 부호가 바뀌어야 변곡이 발생.

06중앙

1) 함수 $f(x) = 2x^3 - 3ax^2 + 6ax - 6x - 1$이 감소하는 x의 구간이 $[1, 10]$일 때, 상수 a의 값은 얼마인가?

① 8 ② 9 ③ 10 ④ 11

Ans. ④

12아주

2) 다음 중에서 구간 $[1, 2]$에서 증가하는 함수는?

① $y = |x - 2|$ ② $y = -2x + 1$ ③ $y = x^2 - 2x$ ④ $y = \dfrac{1}{x+1}$ ⑤ $y = \dfrac{x}{2x-1}$

Ans. ③

스킬편입수학   *Copyright* ⓒ 스킬편입수학. *All rights Reserved.*

09 한양

3) $0 < x < 1$일 때, 다음 중 옳지 않은 것은?

① $\sin^{-1}x < \dfrac{x}{\sqrt{1-x^2}}$ ② $\tan^{-1}x < x$ ③ $\tan^{-1}x > \dfrac{x}{1+x^2}$ ④ $\sin^{-1}x < x$

Ans. ④

10 국민

4) 구간 $[0,4]$에서 함수 $f(x) = 4x^{\frac{5}{4}} - 8x^{\frac{1}{4}}$가 극솟값을 갖는 x의 값은?

① 0 ② $\dfrac{2}{5}$ ③ $\dfrac{5}{2}$ ④ 없음

Ans. ②

12 과기대

5) 구간 $[0,2\pi]$에서 함수 $f(x) = \sin x(1+\cos x)$의 극댓값과 극솟값의 합은?

① $\dfrac{3\sqrt{3}}{4}$ ② $-\dfrac{3\sqrt{3}}{4}$ ③ $\dfrac{3\sqrt{3}}{2}$ ④ 0

Copyright ⓒ 스킬편입수학. *All rights Reserved.*

18숭실

6) 함수 $f(x) = \left(\dfrac{2}{x}\right)^{2x}$ $(x > 0)$가 $x = a$에서 극댓값을 가질 때, a의 값은?

① $\dfrac{4}{e}$ ② $\dfrac{3}{e}$ ③ $\dfrac{2}{e}$ ④ $\dfrac{1}{e}$

Ans. ③

09국민

7) 함수 $f(x) = \dfrac{1}{3}x^{2/3}(5 - 2x)$의 극솟점은?

① $(1, 1)$ ② $\left(-1, \dfrac{7}{3}\right)$ ③ $\left(8, -\dfrac{44}{3}\right)$ ④ $(0, 0)$

Ans. ④

Copyright ⓒ 스킬편입수학. *All rights Reserved.*

8) $f(x) = (3x+1)(x-1)^3$일 때, 극댓값과 극솟값의 값은?

① 극댓값 : -1, 극솟값 : 0
② 극댓값 : 0,   극솟값 : -1
③ 극댓값 : 0, 극솟값은 존재하지 않는다.
④ 극댓값은 존재하지 않는다. 극솟값 : -1

*Ans.*④

9) $f(x) = \log 2x + \dfrac{a}{x} - x$가 극댓값과 극솟값을 가질 때, 상수 a의 범위는?

① $a < \dfrac{1}{4}$ ② $a \leq \dfrac{1}{4}$ ③ $a > \dfrac{1}{4}$ ④ $a \geq \dfrac{1}{4}$

*Ans.*①

18숭실

10) 함수 $f(x) = x^3 e^{-kx}$가 $x = 1$에서 변곡점을 갖게 하는 모든 k의 값들의 곱은?

① -15 ② 6 ③ 9 ④ 15

*Ans.*②

11) 삼차함수 $y = f(x)$의 그래프에서 변곡점의 x좌표가 2일 때, 방정식 $f(x) = 0$의 세 근의 합을 구하면?

① 3 ② 4 ③ 5 ④ 6

*Ans.*④

17아주

12) $f(x) = xe^{-x^2}$, $I = [-1, 1]$에서 최솟값과 최댓값은?

① $-\dfrac{1}{e}, \dfrac{1}{\sqrt{2e}}$ ② $-\dfrac{1}{e}, \dfrac{1}{e}$ ③ $-\dfrac{1}{\sqrt{2e}}, \dfrac{1}{\sqrt{2e}}$ ④ $-\dfrac{1}{e}, \dfrac{2}{\sqrt{e}}$ ⑤ $-\dfrac{2}{\sqrt{e}}, \dfrac{2}{\sqrt{e}}$

*Ans.*③

13) $x = 2\cos t$일때, $f(x) = \dfrac{1}{1 + e^{-x}}$의 최댓값 및 최솟값은?

$Ans.$ 최댓값 : $\dfrac{1}{1 + e^{-2}}$, 최솟값 : $\dfrac{1}{1 + e^2}$

가천17

14) 구간 $[0, \infty)$에서 $f(x) = \dfrac{x}{x^3 + 2}$ 의 최댓값을 a라 하고 최솟값을 b라 할 때, a+b의 값은?

① 1　② $\dfrac{1}{2}$　③ $\dfrac{1}{3}$　④ $\dfrac{1}{4}$

$Ans.$ ③

15) 구간 $[1,5]$에서 함수 $f(x) = (x-1)^2 - 4\ln x$의 최댓값을 구하면?

　① $16 - 4\ln 5$　② $8 - 4\ln 5$　③ $8 - \ln 5$　④ $8 + 4\ln 5$

$Ans.$ ①

06인하

16)양의 실수 x에서 정의된 함수 $f(x) = x^2 + \dfrac{2}{x}$의 최소가 되는 x값과 최솟값의 합은?

① $2\sqrt{2} + 2$ ② $2\sqrt{2} + 1$ ③ 3 ④ 4

*Ans.*④

20서강

17) 함수 $f(x) = 5x + 11 + \dfrac{20}{x}$ 가 $x = a$에서

극댓값을 갖고 $x = b$에서 극솟값을 가질 때 $f(a) - f(b)$ 의 값은?

① 25 ② 30 ③ 35 ④ 40 ⑤ -40

*Ans.*⑤

Copyright ⓒ스킬편입수학. *All rights Reserved.*

18) $f(x) = x^3 - 3ax^2 + a^2 \ (a > 0)$의 극대 극소의 차가 32일 때 $a = ?$

*Ans.*2

05중앙

19) $f(x) = xe^{-x}$는 $x = a$에서 극값 b를 갖는다고 할 때, ab는 얼마인가?

① e^{-2} ② $2e^{-2}$ ③ e^{-1} ④ $2e^{-1}$

*Ans.*③

스킬편입수학 Copyright ⓒ 스킬편입수학. *All rights Reserved.*

16국민

20) $f(x) = ax^2 - bx + \ln x$가 $x = 1$에서 극솟값 -3을 가질 때 $a + b$의 값은?

① -7 ② 3 ③ 5 ④ 7

Ans. ④

21) $y = \sin^2 x + 2\cos^2 x - \sin x + 1$의 최대최소를 구하라.

Ans. 최댓값 : 13/4 최솟값 : 1

스킬편입수학   *Copyright ⓒ 스킬편입수학. All rights Reserved.*

22) a와 b가 양수이고 $f(x) = x^{a+1}(1-x)^{b+1}$일 때, $[0,1]$에서 f의 최댓값은?

① $\dfrac{(a+1)^{a+1}(b+1)^{b+1}}{(a+b+2)}$ ② $\dfrac{a^a b^b}{(a+b)^{a+b}}$ ③ $\dfrac{(a+1)^a (b+1)^b}{(a+b)}$ ④ $\dfrac{(a+1)^{a+1}(b+1)^{b+1}}{(a+b+2)^{(a+b+2)}}$

Ans. ④

23) $f(x) = \displaystyle\sum_{n=1}^{\infty} (-1)^n \frac{x^{4n}}{n!} + \sum_{n=0}^{\infty} \frac{(-1)^n \pi^{2n+1}}{4^{2n+1}(2n+1)!}$ 일 때, $f(x)$ 의 최댓값은?

① 0 ② 1 ③ $1 - \dfrac{1}{\sqrt{2}}$ ④ $1 + \dfrac{1}{\sqrt{2}}$ ⑤ $\dfrac{1}{\sqrt{2}}$

Ans. ⑤

Copyright ⓒ 스킬편입수학. All rights Reserved.

편입수학-기초수학 및 미분학

발 행 | 2024년 2월 02일
저 자 | 스킬편입수학 연구소
펴낸이 | 한건희
펴낸곳 | 주식회사 부크크
출판사등록 | 2014.07.15.(제2014-16호)
주 소 | 서울특별시 금천구 가산디지털1로 119 SK트윈타워 A동 305호
전 화 | 1670-8316
이메일 | info@bookk.co.kr

ISBN | 979-11-410-7027-4

www.bookk.co.kr
ⓒ 스킬편입수학 연구소 2024
본 책은 저작자의 지적 재산으로서 무단 전재와 복제를 금합니다.